First published in Great Britain by
CAXTON EDITIONS
an imprint of
the Caxton Publishing Group Ltd
20 Bloomsbury Street
London WC1B 3QA

Prepared and designed
for Caxton Editions by
Superlaunch Limited
PO Box 207
Abingdon
Oxfordshire OX13 6TA

Consultant editor Paola Pesavento

ISBN 1 84067 077 0

opy of the CIP data for this book is available from
the British Library upon request

Printed and bound in India

CAXTON
ITALIA
VOCABULA

CAXTON EDITIONS

CONTENTS

INTRODUCTION

In Italian, generally the majority of the **masculine** nouns in the **singular** form end in ~*o*, while some end in ~*e*. The desinence of the plurals of these is ~*i*; for example *il bambin-o* **singular**, *i bambin-i* **plural**; *il can-e* **singular**, *i can-i* **plural**.

The exceptions are the few masculine nouns that end in ~*a* in the singular form. These almost always end in ~*i* in the plural form; for example, *il problem-a* **singular**, *i problem-i* **plural**. Yet there are some masculine nouns ending in ~*a* which invariably retain the ~*a* ending also in the plural form. Examples include *il bo-a* **singular**, *i bo-a* **plural**; *l'anacond-a* **singular**, *gli anacond-a* **plural**; il pap-*à* **singular**, *i pap-à* **plural**.

Similarly, Italian **feminine** nouns generally end in ~*a* in the **singular** form and in ~*e* in the plural: examples of this are *la mamm-a* **singular**, *le mamm-e* **plural**. A few nouns, however, end in ~*e* in the singular and these end in ~*i* in the **plural** form: an example of this is *la canzon-e* **singular**; *le canzon-i* **plural**.

ARTICLES

The **definite article** automatically reveals the gender of the noun in Italian. We give the definite article, but when this is shortened by an apostrophe, the noun's gender is specified.

The definite articles of **masculine singular** nouns are *il*, for example *il leon-e*; or *lo* before *z*, or *s + consonant*, for example *lo zoccol-o*, *lo student-e*; *l'* is used before nouns beginning with a vowel, for example *l'anaconda*.

The masculine **plural** forms are as follows: *il* becomes *i*, as in *i leon-i*; *lo* and *l'* become *gli*, as in *gli anacond-a*, *gli zoccol-i*, *gli student-i*.

The **feminine** definite articles are *la* in the **singular** form before nouns beginning with a consonant, for example *la mamma*, *la canzone*, *la zappa*; and again *l'* before nouns beginning with a vowel, for example *l'arancia*. The **plural** form of the feminine definite article is always *le*: *le mamme*, *le canzoni*, *le arance*.

In Italian, the following rule applies for the **indefinite** articles of **masculine** nouns. In the **singular** *un* is used before nouns beginning with most consonants or a vowel: for example *un leone*, *un anaconda* (but *never* an apostrophe with the masculine article 'un'). We have *uno* before nouns beginning with *z* or *s + consonant*: *uno zoccolo*, *uno studente*, *uno sciocco*.

The **plural** form of the indefinite **masculine** articles can be made with the adjective *alcuni* ('some') which applies to **all** masculine nouns without exception: *alcuni bambini*, *alcuni cani*, *alcuni problemi*, *alcuni sciocchi*, *alcuni zoccoli*.

For **feminine** nouns, in the **singular** form the indefinite article is *una* before those nouns beginning with a consonant: *una mamma*, *una canzone*, *una zappa*. Nouns beginning with a vowel have the article *un'*, with the apostrophe supplied for the missing *a*.

The **plural** form of the indefinite article can be rendered by the adjective *alcune* ('some'), which applies to **all** feminine nouns: *alcune mamme*, *alcune canzoni*, *alcune arance*.

ABBREVIATIONS

adj	adjective
adv	adverb
f	feminine
ff	following
fam	familiar
fig	figurative
intr	intransitive
m	masculine
tr	transitive
pl	plural
pron	pronounced

Definite Articles

	singular	plural
masculine	*il*	*i*
	lo + z	*gli* + z
	& s+consonant	& s+consonant,
	l' + vowel	vowel
feminine	*la*	*le*
	l' + vowel	

Indefinite Articles

	singular	plural
masculine	*un* + consonant	*alcuni*
	or vowel	
	uno + z	
	& s+consonant	
feminine	*una*	*alcune*
	un' + vowel	

amphibians	**gli anfibi**
amphibious adj	anfibio
bullfrog	la rana gigante
edible frog	la rana commestibile
frog	la rana
(frog/toad) spawn	le uova di rana/di rospo
newt	la salamandra
tadpole	il girino
toad	il rospo
to spawn	deporre le uova
breed(s)	**la razza** (**le razze**)
alsatian	il pastore tedesco
to breed	procreare
bulldog	il bulldog inglese
chihuahua	il chihuahua
greyhound	il levriere
gun dog	il cane da riporto
hound	il cane da caccia
labrador	il labrador
longhair	a pelo lungo
miniature	nano
mastiff	il mastino
mongrel	il bastardo
pedigree	il pedigree
Persian	il persiano
poodle	il barboncino
retriever	da riporto
shorthair	a pelo raso
Siamese	il siamese
spaniel	lo spaniel

standard (size)	standard
terrier	il terrier
toy (size)	il giocattolo
domestic adj	**domestico**
aquarium	l'acquario *m*
aquatic adj	acquatico
aviary	l'aviario *m*
to bark	abbaiare
beak, bill	il becco
bitch	la cagna
budgerigar, budgie	il pappagallino
cage	la gabbia
canary	il canarino
canine	canino
carnivorous	carnivoro
cat	il gatto
claw	l'artiglio *m*
dog	il cane
feline adj	felino
female	la femmina
gerbil	il gerbillo
goldfish	il pesce rosso
to growl	ringhiare
guard dog	il cane da guardia
guardian	il guardiano
guinea pig	il porcellino d'India
hamster	il criceto
kitten	il gattino, il micino
litter (babies)	i cuccioli (*cats:* i gattini)
litter (bedding)	la cuccia

male adj	maschio
to mew	miagolare
mouse	il topo
mouser	da topi
mousetrap	la trappola per topi
paw	la zampa
pet	l'animale *m* da compagnia
puppy	il cucciolo, il cagnolino
to purr	fare le fusa
rabbit	il coniglio
(rabbit) hutch	la conigliera
rat	il ratto
tail	la coda
tame	domestico
terrapin	la tartaruga acquatica
tropical fish	il pesce tropicale
vermin	l'animale *m* nocivo
watchdog	il cane da guardia
watchful	attento
to whimper	uggiolare
to whine	gemere
wing	l'ala *f*
evolution	**l'evoluzione** *f*
to adapt	evolversi, adattarsi
adaptation	l'adattamento *m*
to adjust	adattarsi
advantage	il vantaggio
behaviour	il comportamento
to benefit from	trarre beneficio da
biped (two legs)	il bipede

disadvantageous	svantaggioso
to evolve	evolversi
habitat	l'habitat *m;* l'ambiente *m*
modification	la modifica
natural selection	la scelta naturale
quadruped (4 legs)	il quadrupede
survival of the	la sopravvivenza del più
fittest	forte
zoo	lo zoo
zoologist	lo zoologo, la zoologa
zoology	la zoologia
extinct	**estinto**
archaeologist	l'archeologo *m*, l'archeologa *f*
dinosaur	il dinosauro
dodo	il dronte, il dodo
fossil	il fossile
mammoth	il mammút
palaeontologist	il paleontologo, la paleontologa
palaeontology	la paleontologia
yeti	lo yeti
marsupial animals	**gli animali marsupiali,**
	i marsupiali
bush baby	il galagone
kangaroo	il canguro
koala	il koala
mythical	**mitico**
centaur	il centauro
chivalry	la cavalleria
dragon	il drago
gryphon	il grifone

legend	la leggenda
Medusa	Medusa
Minotaur	Minotauro
myth	il mito
Pegasus	Pegaso
Phoenix	la Fenice
Sphynx	la Sfinge
unicorn	l'unicorno *m*
nocturnal animals	**gli animali notturni**
badger	il tasso
bat	il pipistrello
craft, cunning	l'astuzia *f*, la furbizia
cunning adj	astuto, furbo
fox	la volpe
hedgehog	il riccio
parasite	**il parassita**
tapeworm	la tenia
predators	**i predatori**
big cats	i grandi felini
cheetah	il ghepardo
cub	il cucciolo
jaguar	il giaguaro
leopard	il gattopardo
lion	il leone
lioness	la leonessa
lynx	la lince
mane	la criniera
mountain lion	il leone di montagna, il puma, il coguaro
panther	la pantera

predatory adj	predatore
to roar	ruggire
savage adj	selvaggio
tiger	la tigre *f**
tiger (male)	la tigre maschio
tigress	la tigre femmina
prey	**la preda**
antelope	l'antilope *f**
eland	l'antilope *f* alcina*
gazelle	la gazzella
zebra	la zebra*
stripes (of the zebra)	le striscie *pl* (della zebra)
primates	**i primati**
baboon	il babbuino
chimpanzee	lo scimpanzé
gibbon	il gibbone
gorilla	il gorilla
monkey	la scimmia*
orang-utan	l'orango *m*
reptile(s)	**il rettile (i rettili)**
adder (viper)	la vipera*
alligator	l'alligatore *m*
anaconda	l'anaconda *m*
antidote	l'antidoto *m*
boa constrictor	il boa constrictor
cayman	il caimano
chameleon	il camaleonte
cobra	il cobra
cold-blooded	a sangue freddo

* *unless* male *is specified*

constrictor	stritolatore
crocodile	il coccodrillo
fang	il dente velenoso
gecko	il geco
grass snake	la biscia dal collare*
harmless	innocuo
poison	il veleno
poisonous adj	velenoso
python	il pitone
rattlesnake	il crotalo
serpent	la serpe*
to slither	strisciare
slow-worm	l'orbettino m
snake	il serpente
tortoise	la tartaruga di terra
turtle	la tartaruga di mare; la testuggine
to wriggle	contorcersi
scavengers	**gli animali spazzini (che si nutrono di carogne)**
carrion	la carogna
hyena	la iena
jackal	lo sciacallo
to scavenge	cercare cibo
wolverine	il ghiottone
wild animals	**gli animali selvatici**
beaver	il castoro
dormouse	il ghiro
hare	la lepre*
mink	il visone

* unless male is specified

mole	la talpa
otter	la lontra
shrew	la donnola
weasel	il toporagno
zoo animals	**gli animali dello zoo**
anteater	il formichiere
armadillo	l'armadillo *m*
bear	l'orso *m*
bison	il bisonte
camel	il cammello
dromedary	il dromedario
echidna	l'echidna *m*
elephant	l'elefante *m*
elk	l'alce *m*
giant panda	il panda gigante
to hibernate	svernare
hippopotamus	l'ippopotamo *m*
hump	la gobba
kiwi	il kiwi
llama	il lama
mongoose	la mangusta
moose	l'alce *m* americano
pack	la muta
porcupine	il riccio
rhinoceros	il rinoceronte
skunk	la moffetta, la puzzola
sloth	il lori gracile
tapir	il tapiro
trunk	la proboscide
wolf	il lupo

FARM ANIMALS	ANIMALI DA FATTORIA
herbivorous	erbivoro
mammal	il mammifero
omnivorous	onnivoro
warm-blooded	a sangue caldo
cattle	**il bestiame**
barn	la stalla
beef adj	da carne
beef (meat)	la carne di manzo
BSE	la malattia della vacca pazza
buffalo	il bufalo
bull	il toro
bullock	il manzo
calf	il vitello
to calve	figliare, avere il vitello
CJD	l'encefalopatia *f*
cow	la vacca
dairy cow	la vacca da latte
to graze	pascolare
heifer	la giovenca
herd	il branco
to herd	condurre il branco
herdsman	il bovaro
hoof	lo zoccolo
horn	il corno
livestock	il bestiame
to low	muggire
to make cheese	fare il formaggio
to milk	mungere
milking parlour	la sala mungitura

ox (oxen pl)	il bue (i buoi *pl*)
pasture	il pascolo
veal (meat)	il vitello, la carne di vitello
deer	**il cervo, i cervi** *pl*
antler	il corno *m*, *pl* le corna *f*
buck	la cerva
doe	la daina
fallow (deer)	il daino
fawn	il cerbiatto, cerbiattino
red (deer)	il cervo nobile, il cervo europeo
roe (deer)	il capriolo
stag	il cervo maschio adulto
venison	la carne di cervo
fowl	**l'uccello** *m* **selvatico, gli uccelli selvatici** *pl*
addled (egg)	(l'uovo *m*, *pl* le uova *f*) avariato
bantam(s)	la gallina nana (le galline nane)
to brood	covare
broody	che vuole covare
chick	il pulcino
chicken	il pollo
chicken coop(s)	il pollaio (i pollai)
cock-a-doodle-do	chicchirichì
cockcrow	il canto del gallo
cockerel	il galletto, il gallo
to crow	cantare (del gallo)
dove	il colombo, il piccione
to dress (garnish the dish)	guarnire
to dress (gut)	sbudellare

duck	l'anitra f
duckling	l'anatoccolo m
egg	l'uovo m, pl le uova f
feather	la piuma, la penna
to force feed	ingozzare
goose	l'oca m & f
gosling	l'ochetta m & f
hen	la gallina
to lay (eggs)	deporre (le uova f)
to pluck	spennare
rooster	il gallo
squab	il piccioncino
to stuff	riempire
turkey	il tacchino
goat(s)	**la capra (le capre)**
billy	il becco, il caprone
homogenous (milk)	(il latte) omogeneizzato
kid	il capretto
to kid	avere/fare il capretto; figliare
nanny	la capra, la capretta
horse(s)	**il cavallo (i cavalli)**
blacksmith	il fabbro
to bray	ragliare
bridle	la briglia, le briglie pl
colt	il puledro
donkey	l'asino m, l'asinello m
filly	la puledra, la cavallina
foal	il puledro, il puledrino
to foal	avere il puledro, figliare
halter	la cavezza

horseshoe	il ferro di cavallo
hybrid adj	ibrido
to jump	saltare
mare	la cavalla
mule	il mulo
to neigh	nitrire
to ride	cavalcare
saddle	sellare
to shoe (horses)	ferrare
stable	la scuderia
stall	il box
stallion	lo stallone
sterile	sterile

see also **SPORT**, **horseriding** *p206* and **WORK**, AGRICULTURE, **stockbreeding** *p214*

pig	**il maiale**
boar	il maiale
bristle	la setola
to farrow	figliare
to fatten	ingrassare
ferocious	feroce
to grunt	grugnire
piglet	il maialino; il porcellino
to root	grufolare
sow	la scrofa
sty	il porcile
tusk	la zanna
wild boar	il cinghiale
sheep	**la pecora**
ewe	la pecora

flock	il gregge
hoggett	la pecora di un anno non ancora tosata
lamb	l'agnello *m*
to lamb	fare / avere gli agnelli; figliare
mutton	il montone, la pecora
ram	il montone
sheepdog	il cane da pastore
INVERTEBRATES	GLI INVERTEBRATI *mpl*; invertebrato(a) *adj*
antenna	l'antenna *f*
beetle	lo scarabeo
bug	l'insetto *m*
cockroach	lo scarafaggio
cricket	il grillo
earwig	la forfecchia
exoskeleton	l'esoscheletro *m*
glow-worm	la lucciola
grasshopper	la cavaletta
insect	l'insetto *m*
ladybird	la coccinella
leaf insect	l'insetto *m* fogliforme
praying mantis	la mantide religiosa
stag beetle	il cervo volante
stick insect	un insetto che punge
butterfly	**la farfalla**
caterpillar	il bruco
chrysalis	la crisalide
to flutter	svolazzare

imago (adult)	l'insetto *m* adulto
iridescent	iridescente
to metamorphose	subire una metamorfosi
metamorphosis	la metamorfosi
moth	la falena
proboscis	la proboscide
silkworm	il baco da seta
phobia	**la fobía**
arachnophobia	l'aracnofobía *f*
arachnophobic adj	aracnofobico
centipede	il centopiedi
to crawl	arrampicarsi, strisciare
to creep	strisciare
creepy-crawly adj	strisciante
earthworm	il lombrico
millipede	il millepiedi
scorpion	lo scorpione
slimy	viscido
slug	la lumaca
snail	la chiocciola
worm	il verme
to worm	strisciare
social insects	**gli insetti sociali**
ant	la formica
anthill	il formicaio
apiarist	l'apicoltore *m*
apiary	l'apiario *m*, l' alveare *m*, l'arnia *f*
bee	l'ape *f*
beehive	l'alveare *m*

bumblebee	il calabrone
colony	la colonia
drone	il fuco
honey	il miele
honeycomb	il favo
to hum	ronzare
humming	il ronzio
queen ant	la formica *f* regina
queen bee	l'ape *f* regina
sting	il pungiglione
to sting	pungere
termite	la termite
wasp	la vespa
worker ant (bee)	la formica (l'ape *f*) operaia
troublesome	**fastidioso**
bluebottle	il moscone azzurro
flea	la pulce
fly	la mosca
to infest	infestare
to irritate	irritare
itch	il prurito
to itch	prudere
locust	la locusta
louse	il pidocchio
lousy	pidocchioso
malaria	la malaria
midge	il moscerino
to molest	molestare
mosquito	la zanzara
mosquito net	la zanzariera

a nuisance	il fastidio
pest	la peste
plague	la peste, la pesticenza
spider	il ragno
to spin	filare
to spin a web	tessare la ragnatela
to squash (a fly)	schiacciare
web	la ragnatela

ARMED FORCES   LE FORZE ARMATE *f*

air force	**l'aviazione** *f*
aerodrome	l'aerodromo *m*, la pista di atterraggio
air raid	l'incursione *f* aerea
air-sea rescue unit	il corpo di salvataggio aero-anfibio
anti-aircraft defence	la difesa antiaerea
anti-aircraft gun	il cannone antiaereo
bomb	la bomba
to bomb	bombardare
bomber (plane)	il bombardiere
to bring down	abbattere
cockpit	il campo di battaglia
crew	l'equipaggio *m*
delta-wing adj	l'ala *f* a delta
ejector seat	il seggiolino eiettabile
fighter plane	l'aereo da combattimento

fixed-wing adj	l'ala *f* fissa
fuselage	la fusoliera
head-up display	lo schermo di visualiazzazione
helicopter	l'elicottero *m*
navigator	il navigatore; l'ufficiale *m* di rotta
ordnance	l'ordinanza *f*
parachute	il paracadute
parachutist	il paracadutista
pilot	il pilota
reconnaissance	la ricognizione
rotor	il rotore
rotary-wing adj	l'elica *f*
search and rescue	cercare e salvare
(air-raid) shelter	il rifugio (antiaereo)
spotter plane	l'aereo *m* da ricognizione
squadron	lo squadrone
surface-to-air-missile	il missile terra-aria
winchman	l'addetto *m* agli argani
wing	l'ala *f*
army	**l'esercito *m***
armoured car	il veicolo blindato
artillery	l'artiglieria *f*
barracks	la caserma
battalion	il battaglione
bayonet	la baionetta
bombardment	il bombardamento
bomb disposal	il disinnesco di bombe
cannon	il cannone

captain	il capitano
cavalry	la cavalleria
colonel	il colonello
corporal	il caporale
detachment	il distaccamento
to drill	esercitare
firearm	l'arma *f* da fuoco
flak jacket	il giubbotto antiproiettile
flank	il fianco
garrison	la guarnigione
general	il generale
grenade	la granata
guard, watch	la guardia; la sentinella
to guard, watch	sorvegliare; guardare; fare la guardia a
infantry	la fanteria
land mine	la mina di terra
to load	caricare
military	militare
military police	la polizia militare
patrol	la pattuglia
to patrol	pattugliare
personnel	il personale
quartermaster	il quartiermastro; il maresciallo d'alloggio
regiment	il reggimento
reinforcement	i rinforzi
rocket	il razzo
sentry	la sentinella
sergeant	il sergente

revolver	la rivoltella
shell	la granata
to shell	bombardare
shot	lo sparo
to shoot	sparare
soldier	il soldato
tank	il carro armato
trench	la trincea
troops	le truppe
to unload	scaricare
vanguard	l'avanguardia *f*
attack	**l'attacco** *m*
ambush	l'imboscata *f*, l'agguato *m*
anti-guerrilla campaign	la campagna anti-guerriglia
assault	l'assalto *m*; l'attacco *m*
to attack	attaccare
battlefield	il campo di battaglia
campaign	la campagna
captive	il prigioniero
captivity	la prigionía
casualty (military)	il caduto
combatant	il combattente
coup (d'état)	il colpo di stato
defeat	la sconfitta
to defeat	sconfiggere
to encamp	accamparsi
encampment	l'accampamento *m*
encounter	l'incontro *m*
to escape	scappare; salvarsi

exploit	lo sfruttamento
to exploit	sfruttare
fight	il combattimento
to fight	combattere
to flee	fuggire
flight	la fuga
front	il fronte
guerrilla	il guerrigliero
guerrilla warfare	la guerriglia
insurrection	l'insurrezione *f*
manoeuvre	la manovra
to manoeuvre	manovrare
to meet	incontrare
to pursue	inseguire
pursuit	l'inseguimento *m*
to repel	respingere
retreat	la ritirata
strategy	la strategía
surrender	la resa
to surrender	arrendersi
tactics	la tattica
wounded	ferito
navy	**la marina**
admiral	l'ammiraglio *m*
aircraft carrier	la portaerei
battleship	la nave da guerra
corvette	la corvetta
deck	il ponte
to decommission	smantellare
destroyer	il cacciatorpediniere

fleet	la flotta
to float	galleggiare
hulk	la carcassa
hull	lo scafo
lieutenant	il luogotenente
marine adj	di marina
marine (person)	il fante di marina; il marine
minesweeper	il dragamine
radar	il radar
rudder	il timone
to sail	navigare
sailor	il marinaio
sonar	il sonar; l'ecogoniometro *m*
submarine	il sottomarino
warship	la nave da guerra
peace	**la pace**
armistice	l'armistizio *m*
to besiege	assediare
blockade	il blocco; l'embargo *m*
ceasefire	il cessate il fuoco
Cold War	la Guerra Fredda
to conquer	vincere
deterrent	il deterrente
to disarm	disarmare
disarmament	il disarmo
exercise	l'esercitazione *f* militare
hero	l'eroe *m*
heroine	l'eroína *f*
medal	la medaglia
nuclear warhead	la testata nucleare

occupied territory	il territorio occupato
pacifism	il pacifismo
pacifist	il (la) pacifista
peacekeeping	il mantenimento della pace
pension	la pensione
sanctions	le sanzioni
spy	la spia
superpower	la superpotenza
treaty	il trattato
vanquished	il vinto
victor	il vincitore
war memorial	il monumento ai caduti
war	**la guerra**
ammunition	le munizioni *fpl*
ammunition dump	la santabarbara
to arm	armare
arsenal	l'arsenale *m*
badge	il distintivo
barbed wire	il filo spinato
to beseige	assediare
billet	l'alloggio *m* di militari in case private
bullet	la pallottola, il proiettile
bulletproof	antiproiettile; a prova di proiettile
cartridge	la cartuccia
casualty	la vittima
commission	la commissione
conscientious objector	l'obiettore *m* di coscienza

conscript	il coscritto
conscription	la coscrizione,
	il reclutamento
dagger	il pugnale
discipline	la disciplina
disorder	il disordine
to equip	attrezzare
equipment	l'attrezzatura *f*
to explode	esplodere
explosion	l'esplosione *f*
flag	la bandiera
fort	il forte, la fortezza
friendly fire	il fuoco amico
gunpowder	la polvere da sparo
holocaust	l'olocausto *m*
insignia	la mostrina
insubordinate	insubordinato
to invade	invadere
non-commissioned officer	il sottufficiale
officer	l'ufficiale *m*
order	l'ordine *m*
rank	il rango
recruit	la recluta
siege	l'assedio *m*
to lay seige to	cingere di assedio
training	l'esercizio *m* militare
uniform	la divisa; l'uniforme *f*
warlike	guerriero
warrior	il guerriero

bird of paradise	l'uccello *m* del paradiso
bird spotter	l'osservatore *m* di uccelli
egret	l'airone *m* bianco
flamingo	il fenicottero
flight	il volo
flightless	incapace di volare
hummingbird	il colibrì
ibis	l'ibis *m*
migratory	migratore
native	autoctono
osprey	il falco pescatore
ostrich	lo struzzo
parrot	il pappagallo
peacock	il pavone
pelican	il pellicano
penguin	il pinguino
plover	il piviere; la pavoncella
plumage	il piumaggio
stork	la cicogna
toucan	il tucano
game birds	**gli uccelli da cacciagione**
grouse	il gallo cedrone; l'urogallo *m*
guineafowl	l'uccello *m* della Guinea
partridge	la pernice
pheasant	il fagiano
quail	la quaglia
woodpigeon	il colombaccio
garden birds	**gli uccelli del giardino**
blackbird	il merlo
black cap	la capinera

bluetit	la cinciarella
to caw	gracchiare
chaffinch	il fringuello
crow	il corvo
cuckoo	il cuculo; il cucù
curlew	il chiurlo
finch	il fringuello
to fly	volare
fledgeling	l'uccellino *m* implume
great tit	la cinciallegra
jackdaw	la taccola
jay	la ghiandaia
heron	l'airone *m*
kingfisher	il martinpescatore
lark	l'allodola *f*
magpie	la gazza
nest	il nido
to nest	annidarsi
nightingale	l'usignuolo *m*
pigeon	il piccione
raven	il corvo imperiale
robin	il pettirosso
rook	la cornacchia
sparrow	il passero
swallow	la rondine
swan	il cigno
thrush	il tordo
wagtail	la ballerina
warbler, songbird	gli uccelli *mpl* canori
wren	lo scricciolo

raptors	**gli uccelli** *mpl* **rapaci; i rapaci**
bird of prey	l'uccello *m* da preda
buzzard	la poiana
condor	il condor
eagle	l'aquila *f*
eagle owl	il gufo reale
falcon	il falcone
falconer	il falconiere
falconry	la falconeria
fish eagle	l'aquila marina *f*
gauntlet	il guantone da falconiere
gerfalcon	il girifalco
hawk	il falco; lo sparviero
hood	il cappuccio
to hover (hawk)	librarsi; volteggiare
jesses	il geto
kestrel	il gheppio
kite	il nibbio
lure (as bait)	l'esca *f*
lure (to recall)	il logoro
owl	il gufo, la civetta
peregrine falcon	il falco pellegrino
rapacious adj	rapace
to stoop	piombare su; calarsi a precipizio
to swoop	piombare
vulture	l'avvoltoio *m*
sea birds	**gli uccelli marini**
albatross	l'albatros *m*
cormorant	il cormorano
seagull	il gabbiano

accessories	gli accessori
bag	la borsa
belt	la cintura
beret	il berretto
bow-tie	la farfalla; il papillon
bracelet	il braccialetto
braces	le bretelle
brim	l'orlo *m*
cap	il berretto
cufflinks	i gemelli
diamond	il diamante
earmuffs	le cuffie
fan	il ventaglio
glasses	gli occhiali
gloves	i guanti
handkerchief	il fazzoletto
hat	il cappello
mittens	le manopole
necklace	la collana
ring	l'anello *m*
sash	la fascia
scarf	la sciarpa
shawl	lo scialle
studs	i bottoncini
tie	la cravatta
tiepin	il fermacravatta
umbrella	l'ombrello *m*
veil	il velo
walking stick	il bastone
watch	l'orologio *m*

footwear	**la calzatura**
barefoot	scalzo
boot	lo stivale
buckle	la fibbia
heel	il tacco
leather	il cuoio
mule	la ciabatta
pair	il paio
to polish	lucidare
to put on one's shoes	calzarsi
to remove one's shoes	scalzarsi
rubber	la gomma
sandal	il sandalo
shoe	la scarpa
shoehorn	il corno da scarpa
shoelace	il laccio
shoemaker	il calzolaio
shoe polish	il lucido da scarpe
slipper	la pantofola, la ciabatta
sock	il calzino
sole	la suola
suède	la pelle scamosciata
to tie	legare
to untie	slegare
make & mend	**fare e rammendare**
bodice	il corpetto, il busto
button	il bottone
cloth	il panno, la stoffa
coarse	ruvido
collar	il colletto

cotton	il cotone
crochet	il lavoro a uncinetto
to crochet	lavorare a uncinetto
crochet hook	l'uncinetto m
cuff	il polsino
to darn	rammendare
dressmaker	il sarto
to dry-clean	pulire a secco
dry-cleaner's shop	la pulitura a secco
embroidery	il ricamo
fabric	il tessuto
fine	fino
fly (of trousers)	la cerniera (dei pantaloni)
to have (get) made	far fare
hem	l'orlo m
hole	il buco
hook and eye	il gancetto
interlining	la controfodera
to iron	stirare
to knit	lavorare a maglia;
	lavorare a ferri; sferruzzare
knitted	lavorato a maglia
knitting	il lavoro a maglia
knitting needles	i ferri da maglia mpl
lapel	il risvolto
to let out	allargare
linen	il lino
lining	foderare
to make	fare
man-made fibre	la fibra sintetica

to mend	rammendare
needle(s)	l'ago *m* (gli aghi)
new	nuovo
pin(s)	lo spillo (gli spilli)
pocket	la tasca
practical	pratico
to press	stirare
press stud	la tavola da stiro
to repair	rammendare
scissors	le forbici
seam	la cucitura
seamstress	la cucitrice
second-hand	di seconda mano
to sew	cucire
shoulder pads	le spallucce *fpl*
silk	la seta
sleeve	la manica
to take in	stringere
thick	spesso, grosso
thread	il filo
to turn up	accorciare
useless	inutile
velcro	il velcro
velvet	il velluto
waistband	la cintura
to wash	lavare
wool	la lana
worn out	consumato, logoro
wristband	il braccialetto
zip	la chiusura lampo, la cerniera

protective	**protettivo**
apron	il grembiule
dungarees	la tuta (da lavoro)
overall	la tuta
to protect	proteggere
ready-made	**confezionato**
blouse	la camicietta
to button	abbottonare
comfortable	comodo
cool	fresco
couture	l'alta moda *f*
designer	il designer
designer clothes	i vestiti firmati
dress	il vestito
to dress (oneself)	vestire (vestirsi)
elegant	elegante
fits (well)	veste (bene)
fur	la pelliccia
furry	ricoperto / foderato di pelliccia
fashionable	di moda
jacket	la giacca
jeans	i jeans *mpl*
long	lungo
loose	largo
to loosen	sciogliere
miniskirt	la minigonna
out of fashion	fuori moda
overcoat	il capotto
pullover	il maglione
to put on	mettersi

raincoat	l'impermeabile *m*
to remove	togliere
shirt	la camicia
short	corto
skirt	la gonna
style	lo stile
stylish	elegante, shic
suit	il vestito
sweatshirt	la felpa
swimsuit	il costume da bagno
T-shirt	la maglietta
to take off	togliere
tight	stretto
tracksuit	la tuta da ginnastica
trousers	i pantaloni
trunks	i calzoncini
to unbutton	sbottonare
to undress	spogliarsi
to use	usare
useful	utile
waistcoat	il panciotto
warm	caldo
to wear	portare
underwear	**la maglieria intima**
bra	il reggipetto
dressing gown	la veste da camera, l'accappatoio *m*
fine	fine
housecoat	la vestaglia
knickers	le mutande

lace	il merletto
leotard	il pagliaccetto
naked	nudo
narrow	stretto
nightdress	la camicia da notte
nylon	il nailon
petticoat	la sottana
pyjamas	il pigiama
ribbon	il nastro
robe	la veste da camera, l'accappatoio *m*
shorts	i pantaloncini corti; i calzoncini; gli shorts
silky	in finta seta; rasato; di raso
slip	la sottoveste
sock(s)	il calzino (i calzini)
stocking(s)	la calza (le calze)
tights (thick wool)	la calzamaglia
tights (thin nylon)	i collant *mpl*
underpants	le mutande
vest	la canottiera

see also **THE HOME, toiletries** *p107*

CULTURE   LA CULTURA

AMUSEMENTS	I DIVERTIMENTI *mpl*
amusement arcade	la sala giochi
amusing	divertente; spassoso
battle game	il videogioco

to be bored	essere annoiato
to become bored	annoiarsi
boring	noioso
computer game	il computer game; il gioco elettronico
to enjoy oneself	divertirsi
entertaining	divertente
entertainment	il divertimento
flight simulator	il simulatore di volo
pastime	il passatempo
rest	il riposo
to rest	riposarsi
simulation	la simulazione
toy	il giocattolo
billiards*, *pool*, *snooker	**il biliardo**
cannon	la carambola
cue	la stecca
spin	l'effetto *f*
triangle	il triangolo
circus	**il circo**
acrobat	l'acrobata *m & f*
acrobatic	acrobatico
acrobatics	le acrobazie
audacious	audace; intrepido; coraggioso
breathtaking	mozzafiato
broad humour, *farce*	lo scherzo da prete, la scemenza
clown	il pagliaccio
daring	ardito

funny	buffo
hilarious	spassoso
joke	lo scherzo; la battuta
safety net	la rete di sicurezza
slapstick	la spatola di Arlecchino; *fig* la farsa alla buona
tightrope	la fune
tightrope walker	il funambolo, la funambola
trapeze	il trapezio
trapeze artist	il (la) trapezista
to tumble	fare acrobazie
tumbler	l'acrobata *m & f*
uproarious	chiassoso
funfair	**le giostre; il lunapark; il parco dei divertimenti**
to assemble	radunare; radunarsi *intr*
candyfloss	lo zucchero filato
carousel	la giostra
coconut milk	il latte di cocco
coconut shy, shooting gallery etc	il baraccone del tiro a segno
crowd	la folla
festival	la festa; il festival; la fiera
fun	il divertimento
(to have) fun	divertirsi
popcorn	i popcorn *mpl*
toffee apple(s)	la mela candita (le mele candite)
games	**i giochi**
ace	l'asso *m*; il campione

baccarat	il baccarà
bagatelle	il biliardino
bishop	l'alfiere *m*
board	la tavola
casino	il casinò *(NB: with accent for gambling)*
to castle	arroccare
checkmate	scacco matto
chequerboard	la scacchiera
chess	gli scacchi
chessboard	la scacchiera
clubs	i fiori
counter	il gettone
to cut (cards)	tagliare il mazzo e dare le carte
to deal	dare le carte
diamonds	i quadri
dice pl	i dadi
die sing	il dado
draughts	il gioco della dama
dummy	il morto
hearts	i cuori
jack	il giolli
jigsaw	il puzzle
king	il re
knight	il cavallo
pack of cards	un mazzo di carte
pair	il paio; la coppia
partner	il partner; il socio
pawn	il pegno
piece	il pezzo

playing cards	le carte da gioco
poker	il poker
queen	la regina
rook	la torre
to shuffle	mescolare
solitaire	il solitario
spades	le picche
stalemate	lo stallo
suit	il seme; il colore; il gioco delle pulci
to trump	fare una briscola; vincere
whist	il whist
to play	**giocare**
brinkmanship	la politica del 'rischio calcolato'
cardsharp	il baro
to cheat	barare
deceitful	ingannevole
to deceive	ingannare
to draw	giocare
fair (equitable)	corretto
game	il gioco
heads (of coin)	testa *f sing, no article*
to join	unire; unirsi *intr*
to lose	perdere
loser	il perdente
lottery	la lotteria
luck	la fortuna
(to be) lucky	(essere) fortunato; (avere) fortuna

match	la partita
to meet	incontrare
meeting	l'incontro *m*
party	la festa
player	il giocatore
sportsmanship	l'amore *m* dello sport;
	la bravura; la lealtà
tails (of coin)	croce *f sing, no article*
to toss a coin	lanciare una moneta
trick	il trucco
visit	la visita
to visit	visitare
to win	vincere
winner	il vincitore
playground	**il campo di giochi; il parco giochi**
bouncy castle	il castello gonfiabile
climbing frame	il castello
roundabout	la giostra
seesaw	il dondolo
slide	lo scivolo
to slide	scivolare
swing	l'altalena *f*
to swing (oneself)	dondolarsi
tired	stanco
to get tired	stancarsi
weariness	la stanchezza

ARTS	L'ARTE *f*
antique	**l'antiquariato *m***
antique dealer	l'antiquario *m*

art dealer	il commerciante d'arte
collectable	da collezione
collection	la collezione
forger	il falsificatore, la falsificatrice
forgery	la falsificazione; il falso
junk	la robaccia
private adj	privato
provenance	la provenienza
restoration	il restauro
to restore	restaurare
varnish	la vernice

see also **MONEY**, *auction*, *p151*

architecture   l'architettura *f*

aisle	la navata *f* laterale
amphitheatre	l'anfiteatro *m*
apse	l'abside *f*
aqueduct	l'acquedotto *m*
arch	l'arco *m*
architect	l'architetto *m*
baroque	barocco
barrel vault	la volta a botte
basilica	la basilica
Byzantine	bizantino
cathedral	la cattedrale, il duomo
cathedral city	la città sede vescovile
choir (of church)	il coro
column	la colonna
Corinthian	corinzio
crossing, transept	il transetto
crypt	la cripta

dolmen	il dolmen
dome	la cupola
Doric	dorico
fan vault	la volta a crocera
Flamboyant	sgargiante
flying buttress	l'arco *m* rampante
font	l'acquasantiera *f*
forum	il foro
Gothic	gotico
Ionic	ionico
mausoleum	il mausoleo
menhir	il menhir
minaret	il minareto
mosque	la moschea
nave	la navata
pagoda	la pagoda
pillar	il pilastro
plinth	il plinto; il piedistallo
pyramid	la piramide
rake (of floor)	la pendenza; la scarpa
relic	la reliquia
reliquary	il reliquiario
romanesque	romanico
rose window	il rosone
scaffolding	l'impalcatura *f*
sepulchre	il sepolcro
Sphinx	la Sfinge
spire	la guglia
stained glass	il vetro colorato
synagogue	il sinagoga

temple	il tempio
tomb	la tomba
tower	la torre
transept	il transetto
vault	la volta
west front	la facciata occidentale

for religion, see **PERSONALITY**, **spirit** *p182*

cinema	**il cinema**
to censor	censurare
censorship	la censura
director	il regista
to dub	doppiare
producer	il produttore
screen	lo schermo
sequel	il seguito; l'effetto *m*
subtitle	i sottotitoli
to subtitle	mettere i sottotitoli

see also **WORK**, BUSINESS, **media** *p217*

dance (ballet, traditional forms)	**la danza**
ball, dance	il ballo
ballet	il balletto
ballet dancer	la ballerina; il ballerino
ballroom dance	il ballo
choreographer	il coreografo
chorus	il coro
classical	classico
to dance	danzare, ballare
dancer	il ballerino, la ballerina
disco	la discoteca; la balera

fado	il fado
flamenco	il flamenco
folk dance	la danza popolare
Latin-American	latino-americano
musicality	la musicalità
(night)club	il night club; il locale notturno
prima ballerina	la prima ballerina
(dance) *routine*	la routine
soloist	il (la) solista
traditional	tradizionale
music	**la musica**
accompaniment	l'accompagnamento *m*
to accompany	accompagnare
accordion	la fisarmonica
aria	l'aria *f*
auditorium	l'auditorium *m*
bagpipes	la zampogna; la cornamusa
banjo	il banjo
baritone	il baritono
bass	il basso
bassoon	il fagotto
beat	il ritmo
to blow	soffiare
bow	l'arco *m*
brass instrument	gli ottoni; gli strumenti a fiato
cello	il cello, il violoncello
choir (singers)	il coro
clarinet	il clarinetto
composer	il compositore

concert	il concerto
concertina	la concertina
conductor	il direttore d'orchestra
cornet	la cornetta
drum	il tamburo
drums	la batteria
to enchant	incantare
flute	il flauto
folk music	la musica popolare
French horn	il corno da caccia
guitar	la chitarra
harmony	l'armonia f
harp	l'arpa f
harpsicord	il clavicembalo
instrumentalist	lo strumentalista, la strumentalista
jazz	il jazz
mandolin	il mandolino
march	la marcia
masterpiece	il capolavoro
musician	il musicista
oboe	l'oboe m
ocarina	l'ocarina f
opera	l'opera f, la lirica
orchestra	l'orchestra f
organ	l'organo m
organist	l'organista m & f
overture	l'ouverture f
pianist	il (la) pianista
piano	il pianoforte

to play (instrument)	suonare
refrain	il ritornello
rehearsal(s)	la prova (le prove *pl*)
rock music	la musica rock
rock star	il cantante rock, il rockettaro
saxophone	il sassofono
score	la partitura
to sing	cantare
singer	il (la) cantante
singing	il canto
soft	dolce, melodioso
song	la canzone
songbook	il canzoniere
soprano	il (la) soprano
string instrument	lo strumento a corda
to strum	strimpellare
symphony	la sinfonia
to syncopate	sincopare
synthesiser	il sintetizzatore
tambourine	il tamburello
tenor	il tenore
trombone	il trombone
trumpet	la tromba
tuba	la tuba
viola	la viola
violin	il violino
violinist	il violinista
wind instrument	lo strumento a fiato
xylophone	lo xilofono
zither	lo zither; la cetra tirolese

theatre	**il teatro**
act	l'atto *m*
actor	l'attore *m*
actress	l'attrice *f*
applause	l'applauso *m*
apron stage	il proscenico
audience	il pubblico
box (in theatre)	il palco
box office	il botteghino
character	il personaggio
comedy	la commedia
costume	il costume
curtain	il sipario
flop	il fiasco
to flop	far fiasco, fallire
début	il debutto
dénouement	lo scioglimento
interval	l'intervallo *m*
in the round	nel giro
lighting	l'illuminazione *f*
mask	la maschera
performance	lo spettacolo, il dramma
pit	la platea
play	la rappresentazione, lo spettacolo
to play a role	recitare la parte
playwright	il drammaturgo
proscenium arch	l'arco *m* del proscenio
scene	la scena
scenery	lo scenario

seat, place	il posto
spectator	lo spettatore
stage	il palcoscenico
to stage, represent	mettere in scena, rappresentare
stalls	il pubblico delle poltrone
(to be) a success	aver successo
theatrical	teatrale
tragedy	la tragedia
trapdoor	la botola
to whistle, hiss	sibilare, fischiare
whistling, hissing	il sibilo, il fischio
(to be) word-perfect	imparato perfettamente a memoria

FINE ARTS	LE BELLE ARTI
art history	**la storia dell'arte**
abstract expressionism	l'espressionismo astratto *m*
action painting	l'action painting *m*
altarpiece	la pala di'altare
Barbizon school	la scuola di Barbizon
cartoon	lo schizzo
cave painting	il graffito preistorico; l'arte *f* paleolitica
chiaroscuro	il chiaroscuro
collage	il collage
colourist	il colorista
constructivist adj	costruttivista
Cubism	il Cubismo

Cubist	il cubista
Dadaism	il Dadaismo
Expressionism	l'Espressionismo *m*
Expressionist	l'espressionista *m & f*
expressionist adj	espressionistico
figurative	figurativo
fresco	l'affresco *m*
gesso	il gesso per calchi, per stuccature
icon	l'icona *f*
Impressionism	l'Impressionismo *m*
Impressionist	l'impressionista *m*
impressionistic	impressionistico
kinetic	cinetico
Mannerism	il Manierismo
Mannerist	il manierista
mannerist adj	manieristico
miniature	la miniatura
miniaturist	il miniaturista
museum	il museo
naïve	naïve
Op art	l'arte ottica *f*
pointillisme	il Divisionismo
Pop art	l'arte popolare *f*
primitive	primitivo
profane	profano
the Renaissance	il Rinascimento
Renaissance art	l'arte rinascimentale *f*
representational	rappresentativo
sacred	sacro

school of	la scuola di
secular	secolare
sfumato	sfumato
Surrealism	il Surrealismo
Surrealist	il surrealista
surrealistic	surrealistico
symbol	il simbolo
symbolic	simbolico
to symbolise	simbolizzare
Symbolism	il Simbolismo
Symbolists	i Simbolisti
technique	la tecnica
triptych	il trittico
ceramics	**l'arte *f* della ceramica;**
	le ceramiche
to bake	cuocere
bisque ware	cotto due volte
celadon	il céladon; la porcellana
	verde-grigia
to centre	centrare
china	la ceramica
clay	l'argilla *f*
crackleware	il cavillo
to craze	cavillare
earthenware	il vasellame
grit	l'arenaria *f*
hand-painted	dipinto a mano
impermeable	impermeabile
intaglio	l'intaglio *m*
kiln	la fornace

leather-hard	pronto per la cottura
lustre	il lustrino
to moisten	inumidire
mould	la forma; la sagoma
to mould	sagomare
non-toxic	non tossico
pinhole	la punta di spillo
porcelain	la porcellana
pottery	la ceramica; il vasellame
raku	il raku
stoneware	le porcellane dure
to throw	tornire; fare al tornio
transfer	la riproduzione
to turn	tornire
to wedge	fare uscire l'aria
wheel	la ruota
contemporary painting	**la pittura contemporanea**
abstract	astratto
agent	l'agente *m*
artist	l'artista *m* & *f*
background	lo sfondo
brush	il pennello
canvas	la tela
colour	il colore
to colour	colorare
coloured	colorito
commission	la commissione
contrast	il contrasto
to contrast	contrastare

crayon	il colore a pastello
draughtsman	il disegnatore; il progettista
to draw	disegnare
drawing	il disegno
dull	smorto, spento
easel	il cavalletto da pittore
to engrave	incidere
engraving	l'incisione *f*
exhibition	la mostra
foreground	il primo piano
gallery	la galleria
glaze	lo smalto
to glaze	smaltare
to imitate	imitare
imitation	l'imitazione *f*
impasto	l'impaso *m*
to innovate	rinnovare; far innovazioni
innovation	l'innovazione *f*
innovative	innovativo
installation	l'installazione *f*
interactive	interattivo
landscape	il paesaggio
landscape painter	il paesaggista
likeness	la somiglianza; l'aspetto *m*
oil paints	i dipinti ad olio
outline	il contorno, il profilo
to paint	dipingere
painter	il pittore
painterly	pittoricamente
painting	la pittura

palette	la tavolozza
patron	il mecenate
patronage	il patrocinio; il mecenatismo
to patronise	patrocinare
picturesque	pittoresco
portrait	il ritratto
portraitist	il ritrattista
print	la stampa
resemblance	la somiglianza
similar	simile
still life	la natura morta
studio	lo studio
tone	il tono
underpainting	la mano di fondo
watercolour	l'acquarello *m*
sculpture	**la scultura**
bust	il busto
to carve	scolpire
cast	lo stampo *m*
chisel	il cesello
group	il gruppo
model	il modello
sculptor	lo scultore
shape	la forma; la sagoma
to shape	formare; sagomare
statue	la statua
workshop	l'officina *f*

LITERATURE	LA LETTERATURA
alphabet	l'alfabeto *m*

assonance	l'assonanza *f*
author	l'autore *m*, l'autrice *f*
autobiographical	autobiografico
autobiography	l'autobiografia *f*
ballad	la canzone popolare, la ballata
biographer	il biografo
biographical	biografico
biography	la biografia
bookseller	il libraio
bookshop	la libreria
character	il personaggio
copyright	i diritti d'autore *mpl*
critic	critico
criticism	la critica
drama	l'arte *f* drammatica, il teatro
edition	l'edizione *f*
editor	il redattore
encyclopaedia	l'enciclopedia *f*
encyclopaedic	enciclopedico
epic	epico
fiction	la narrativa novellistica
fictional	novellistico
illiterate (person)	l'analfabeta *m & f*
to learn by heart	imparare a memoria
literate	istruito
metre	la metrica
narrative	la narrativa
novel	il romanzo
novelist	il romanziere
oral tradition	la tradizione orale

paperback	il libro in brossura
papyrus	il papiro
parchment	la pergamena
picaresque	picaresco
poet	il poeta, la poetessa
poetic	poetico
poetry	la poesia
précis	il compendio
publisher	l'editore *m*
reader	il lettore, la lettrice
rhyme	la rima
to rhyme	rimare
royalties	i diritti d'autore *mpl*
saga	la saga
science fiction	la fantascienza
sonnet	il sonetto
stanza	la stanza, la strofa
story	la storia
storyteller	il narratore
style	lo stile
tradition	la tradizione
writer	lo scrittore, la scrittrice

see also **LEARNING**, **language**, *p133*

children's books   **i libri per bambini**

Bluebeard	Barbablù
to cast a spell	fare un incantesimo
Cinderella	Cenerentola
dwarf	il nano
elf	l'elfo *m*
enchanting	incantevole

fairy tale	la fiaba
gnome	lo gnomo
goblin	il folletto
magic	la magia
magical	magico; incantato
magician	il mago
mermaid	la sirena
nursery rhyme	la filastrocca
Puss-in-Boots	Il Gatto con gli Stivali
Red Riding Hood	Cappuccetto Rosso
Sleeping Beauty	La Bella Addormentata nel Bosco
Snow Queen	La Regina delle Nevi
Snow White	Biancaneve
spell, charm	l'incantesimo *m*
spell, magic formula	la formula magica
witch	la strega
wizard	il mago
mythology	**la mitologia**
Achilles	Achille
Achilles' heel	il tallone di Achille
The Arabian Nights	Le Mille e Una Notte
Armageddon	l'Armageddon *m*, la battaglia campale decisiva
Atlantis	Atlantide *f*
Atlas	Atlante *m*
Cyclops	il Ciclope
Herculean	erculeo
Hercules	Ercole
Homer	Omero

Homeric	omerico
Iliad	l'Illiade *f*
Odysseus	Ulisse
Odyssey	l'Odissea *f*
Remus	Remo
Romulus	Romolo
rune	la runa
runic alphabet	l'alfabeto runico *m*
Thor	Thor *m*
Trojan	troiano
Trojan horse	il Cavallo di Troia
Valhalla	il Walhalla

THE FAMILY   LA FAMIGLIA

childbirth	**il parto**
abortion	l'aborto *m*
baby	il neonato, la neonata
baptism	il battesimo
to be born	nascere
to be pregnant	essere incinta, gravida
birthday	il compleanno
boy	il ragazzo
child	il bambino, la bambina
children	i figli
to christen	battezzare
to conceive	concepire
condom	il preservativo
contraception	la contraccezione

contraceptive	il contraccettivo, l'anticoncezionale *m*
contraceptive pill	la pillola anticonezionale
family planning	la pianificazione familiare
girl	la ragazza
to give birth	partorire
to grow up	crescere
to have an abortion	abortire
maternity	la maternità
to menstruate	mestruare; avere le mestruazioni
paternity	la paternità
period	le mestruazioni
name	il nome
to name	dare il nome; chiamare
nurse	l'infermiera *f*
surname	il cognome
twin	il gemello
young	giovane
childcare	**la cura del bambino**
to baby-sit	seguire / guardare i bambini
baby-sitter	la babysitter; la bambinaia
to breastfeed	allattare; dare la poppa
child minder, nanny	la bambinaia
crèche, nursery	l'asilo *m* nido
infancy	l'infanzia *f*
learning	l'imparare *m*
nursery	la scuola materna
to play	giocare

playschool	l'asilo *m* infantile
to spoil (a child)	viziare
spoilt	viziato
to suckle	poppare
wet nurse	la balia
death	**la morte**
ashes	le ceneri
bier	il catafalco
body	il cadavere
burial	il seppellimento; l'interramento *m*
to bury	seppellire
cemetery	il cimitero
coffin	la bara
to comfort	confortare; consolare
to console	consolare
to cremate	cremare
cremation	la cremazione
crematorium	il (forno) crematorio
deathbed	il letto di morte
death certificate	il certificato di morte
dead man	il morto
dead woman	la morta
deceased	il defunto
to die	morire
dying	moribondo
grave	la tomba, il sepolcro
to grieve	essere addolorato, piangere
to mourn	essere addolorato, piangere
to be in mourning	essere in lutto

to survive	sopravvivere
survivor	il superstite; il sopravvissuto
wake	la veglia
to wear mourning	portare il lutto
to weep	piangere
extended family	**la famiglia patriarcale**
aunt	la zia
cousin (female)	la cugina
cousin (male)	il cugino
goddaughter	la figlioccia
godfather	il padrino
godmother	la madrina
godson	il figlioccio
granddaughter	la nipote
grandfather	il nonno
grandmother	la nonna
grandparents	i nonni
grandson	il nipote
great-aunt	la prozia
great-nephew	il pronipote
great-niece	la pronipote
great-uncle	il prozio
nephew	il nipote
niece	la nipote
stepbrother	il fratellastro
stepdaughter	la figliastra
stepfather	il patrigno
stepmother	la matrigna
stepsister	la sorellastra
stepson	il figliastro

uncle	lo zio
marriage	**il matrimonio**
annulment	l'annullamento *m*
bachelor	lo scapolo
betrothal	il fidanzamento
boyfriend	il fidanzato
brother-in-law	il cognato
couple	la coppia
daughter-in-law	la nuora
divorce	il divorzio
engagement	il fidanzamento
to fall in love	innamorarsi
father-in-law	il suocero
girlfriend	la fidanzata
honeymoon	la luna di miele
love	l'amore *m*
maiden name	il nome da nubile
marriage certificate	il certificato di matrimonio
married name	il nome da sposata
to marry	sposarsi con; sposare
mother-in-law	la suocera
separation	la separazione
sister-in-law	la cognata
son-in-law	il genero
spinster	la zitella; la donna nubile
surname	il cognome
wedding	le nozze
wedding ring	l'anello *m* matrimoniale; la fede
young man	il giovane
young woman	la giovane

youth	la gioventù
nuclear family	**la famiglia nucleare**
brother	il fratello
brotherhood	la fratellanza
brotherly adj	fraterno
brotherly adv	fraternamente
to cohabit	convivere, vivere more uxorius
daughter	la figlia
elder	maggiore
father	il padre
filial	figliale
husband	il marito
mother	la madre
parents	i genitori
sister	la sorella
sisterhood	la sorellanza
sisterly adv only	sorellamente
son	il figlio
spouse	il (la) coniuge *m(f)*
uxorious	premuroso
wife	la moglie
younger	minore
the older generation	**la vecchia generazione**
active	attivo
age	l'età *f*
the aging process	l'invecchiamento *m*
Alzheimer's disease	il morbo di Alzheimer; la senilità; l'arteriorsclerosi *f*

ancestor	l'antenato *m* & *f*
annuity	l'annualità *f*;
	la rendita annua
descendant	il discendente
fit, in good form	in forma
forebear	l'antenato *m*; il progenitore
to forbear	astenersi da
forgetful	svanito
frail	fragile
to get old	invecchiare
healthy	in buona salute
mature	maturo
maturity	la maturità
menopause	la menopausa
middle-aged	di mezza età
mid-life crisis	la crisi di mezza età
old	vecchio; anziano
old age	la vecchiaia
old man	il vecchio
old woman	la vecchia
orphan	l'orfano *m*, l'orfana *f*
pension	la pensione
pensioner	il pensionato, la pensionata
to retire	andare in pensione
retirement	la pensione
retirement home	la casa di riposo
senior	l'anziano *m*, l'anziana *f*
widower	il vedovo
widow	la vedova
vigorous	vigoroso

freshwater fish	**i pesci d'acqua dolce**
carp	la carpa
perch	il pesce persico
pike	il luccio
piranha	il piranha
trout	la trota
voracious	vorace
marine mammals	**i mammiferi marini**
dolphin	il delfino
killer whale	l'orca *f*
manatee (sea cow)	il lamantino
seal	la foca
sea lion	l'otaria *f*
walrus	il tricheco
whale	la balena
sea creatures	**la fauna marina**
anemone	l'anemone *m* di mare
caviar	il caviale
cephalopod	il cefalopode
cod	il merluzzo
coral	il corallo
coral reef	la scogliera corallina
eel	l'anguilla *f*
electric eel	il ginnoto
elver	l'anguilla *m & f* giovane
fin	la pinna
flipper	la pinna
gills	le branchie
hake	il nasello
herring	l'aringa *f*

krill	il krill
octopus	il polipo
plankton	il plancton
salmon	il salmone
sardine	la sardina
scale	la squama
school (of fish)	il banco di pesci
sea horse	il cavalluccio marino
shark	lo squalo
skate	la razza
squid	il calamaro
starfish	la stella di mare
sturgeon	lo storione
tentacle	il tentacolo
tuna fish	il tonno
shellfish	**il mollusco**
clam	il mollusco; (*cookery:* il frutto di mare)
cockle	la noce di mare
crab	il granchio
crayfish	il gambero d'acqua dolce
crustacean	i crostacei *mpl*
cuttlefish	la seppia
limpet	la patella
lobster	l'aragosta *f*
mollusc	il mollusco
mussel	la cozza; il mitillo
oyster	l'ostrica *f*
prawn	il gambero
seashell	la conchiglia marina

sea urchin	il riccio di mare
shell	la conchiglia
shrimp	il gamberetto
whelk	il mollusco

civil service	**il servizio civile**
administrator	l'amministratore *m*
ambassador	l'ambasciatore *m*
attaché	l'attaché *m & f*
chargé d'affaires	l'incaricato *m & f* d'affari
civil servant	il funzionario civile
consul	il console
consulate	il consolato
deputy	il deputato
diplomacy	la diplomazia
diplomat	il diplomatico
embassy	l'ambasciata *f*
local government	**il governo locale**
to administer	amministrare
to adopt	adottare
to advise	consigliare
to campaign	fare una campagna per
community	la comunità
council	il consiglio
councillor	il consigliere
to deliberate	deliberare
dialogue	il dialogo

to discuss	discutere
mayor	il sindaco
public meeting	la pubblica assemblea
referendum	il referendum
session	la seduta
town council	il Consiglio Comunale
town hall	il Palazzo del Comune
voluntary	volontario
volunteer	il volontario
monarchy	**la monarchia**
absolute	assoluto
aristocracy	l'aristocrazia *f*
aristocrat	l'aristocratico(a) *m(f)*
to assent	assentire; acconsentire; approvare
autocracy	l'autocrazia *f*
autocratic adj	autocratico
ceremonial	cerimoniale
ceremony	la cerimonia
chancellor	il cancelliere
commoner	il comune suddito
to confiscate	confiscare
confiscation	la confisca
constitution	la costituzione
constitutional adj	costituzionale
coronation	l'incoronazione *f*
counter-revolution	la controrivoluzione
court	la corte
courtier	il gentiluomo di corte; il cortigiano

crown	la corona
to crown	incoronare
crown jewels	i gioielli della corona
decree	il decreto
to decree	decretare
disestablishment	il privare la chiesa del suo carattere di religione di stato
divine right	il diritto divino
emperor	l'imperatore *m*
empress	l'imperatrice *f*
established church	la Chiesa di Stato
figurehead	il prestanome; l'uomo *m* di paglia
formal	formale
formality	la formalità
guillotine	la ghigliottina
to guillotine	ghigliottinare
in exile	in esilio
inheritance	l'eredità *f*
king	il re
lineage	il lignaggio
majesty	la maestà
monarch	il monarca, il sovrano
photo opportunity	l'opportunità *f* per una fotografia
primogeniture	la primogenitura
prince	il principe
princess	la principessa
to proclaim	proclamare

proclamation	la proclamazione
queen	la regina
rank	il rango
regal	regale
to reign	regnare
revolution	la rivoluzione
robes	la toga
royal	reale
secular	secolare
secularisation	la secolarizzazione
subject	il suddito
throne	il trono
title	il titolo
viceroy	il viceré
walkabout	la visita con incontri informali con il pubblico
whim	il capriccio
politics	**la politica**
cabinet	il gabinetto
city-state	la città-stato
communist	comunista
conservative	conservatore
democrat	democratico
to elect	eleggere
election	l'elezione *f*
fascist	fascista
to govern	governare
green party	il partito verde
liberal	liberale
market economy	l'economia *f* di mercato

minister	il ministro
ministry	il ministero
parliament	il Parlamento
political	politico
politician	il politico; l'uomo *m* politico
president	il presidente
republic	la Repubblica
republican	repubblicano
senate	il Senato
senator	il senatore
social democrat	socialdemocratico
socialist	socialista
state	lo Stato
vote	il voto
to vote	votare

HEALTH   LA SALUTE

ailments	**le indisposizioni, i disturbi**
aspirin	l'aspirina *f*
anti-histamine	l'anti-istaminico *m*
boil	il foruncolo
to catch a cold	raffreddarsi
cold (illness)	il raffreddore
cough	la tosse
to cough	tossire
cramp	il crampo
dermatitis	la dermatite
flu	l'influenza *f*

to get fat	ingrassare
hay fever	il raffreddore da fieno;
	la febbre da fieno
headache	il mal di testa
hormone	l'ormone *m*
imbalance	lo squilibrio
migraine	l'emicrania *f*
rash	l'orticaria *f*
stomach upset	il mal di stomaco
tonsillitis	la tonsillite
wart	il bitorzolo
complementary	**la medicina complementare**
medicine	
acupuncture	l'agopuntura *f*
aromatherapy	l'aromaterapia *f*
chiropractic	la chiropratica
(as science)	(la chiroterapia)
chiropractor	il chiropratico,
	la chiropratica;
	il (la) chiroterapeuta
faith healing	la terapia mistica
holistic	il guarire con la fede olistica
massage	il massaggio
spa	la stazione termobalneare
drug abuse	**l'abuso *m* di droghe**
alcohol	l'alcol *m*
alcoholic adj	alcolico
aversion therapy	la terapia della ripugnanza
cocaine	la cocaina
dealer	lo spacciatore

detoxification	la detossificazione
drug	la droga
drug addict	il (la) tossicomane
drug addiction	la tossicomania
drugs traffic	il commercio di stupefacenti
drugs trafficker	il trafficante di droga
hangover	i postumi (di una sbornia)
hashish	l'hashish *m*
heroin	l'eroina *f*
to inhale	aspirare
to inject	iniettare
to launder money	riciclare denaro sporco
marijuana	la marijuana
methadone	il metadone
nicotine	la nicotina
passive smoking	il fumare passivamente
to smoke	fumare
to sniff	sniffare
snuff	il tabacco da fiuto
syringe	la siringa
to take drugs	drogarsi
withdrawal syndrome	la sindrome da astinenza
hospital	**l'ospedale** *m*
anaesthetic	l'anestetico *m*
anaesthetist	l'anestesista *m* & *f*
antibiotic	l'antibiotico *m*
antibody	l'anticorpo *m*
blood cell	la cellula ematica
blood group	il gruppo sanguigno

blood pressure	la pressione ematica
blood test	l'analisi *f* del sangue
bypass operation	l'intervento *m* di bipasso, di bypass
care	la cura; l'assistenza *f*
careful	cauto
careless	senza cura; negligente
carelessness	la trascuratezza
clinic	la clinica
consultant	il primario
curable	curabile
cure	la cura, il trattamento
to cure	curare
diagnosis	la diagnosi
doctor	il medico, il dottore
face-lift	il face-lifting; la plastica facciale
genetic engineering	l'ingeneria *f* genetica
to have an operation	farsi operare
incurable	incurabile
infirmary	l'ospedale *m*; l'infermeria *f*
to look after	curare
medicine	la medicina
microsurgery	la microchirurgia
negligent	negligente
nurse	l'infermiera *f*; l'infermiere *m*
outpatient	il paziente esterno
painkiller	l'analgesico *m*
patient	il (la) paziente
pharmacist	il (la) farmacista

pharmacy	la farmacia
pill	la pillola; la pastiglia
plastic surgery	la chirurgia plastica
prescription	la ricetta medica
to relieve (eg pain)	dare il cambio
specialist	lo (la) specialista
surgeon	il chirurgo (*m invariable*)
surrogate mother	la madre sostituta
test-tube baby	il bambino nato per inseminazione artificiale
therapy	la terapia
treatment	il trattamento
vaccine	il vaccino
illness	**la malattia**
acute	acuto
AIDS	l'AIDS *f*
allergic	allergico
allergy	l'allergia *f*
angina	l'angina *f*
anorexia	l'anoressia *f*
anorexic	anoressico
arthritis	l'artrite *f*
breast cancer	il cancro al seno
bulimia	la bulimia
bulimic adj	bulimico
cancer	il cancro
chemotherapy	la chemioterapia
chronic	cronico
disability	l'invalidità *f*; l'incapacità *f*
disabled	il disabile

diverticulitis	la diverticolite
donor	il donatore
eczema	l'eczema *m*; l'irritazione *f*; l'orticaria *f*
food poisoning	l'intossicazione *f* alimentare
gallstone	il calcolo biliare
haemophilia	l'emofilia *f*
haemophiliac	emofiliaco
handicap	l'handicap *m*
handicapped	l'handicappato(a) *m(f)*
handicapped adj	handicappato(a)
heart attack	l'infarto *m* cardiaco; l'attacco *m* di cuore
heart surgery	la cardiochirurgia
heart transplant	il trapianto cardiaco
hepatitis	l'epatite *f*
HIV-positive	HIV positivo
implant	l'impianto *m*
infertile	sterile
multiple sclerosis	la multiplosclerosi
obese	obeso
obesity	l'obesità *f*
pacemaker	il pacemaker
pneumonia	la polmonite
prostate cancer	il cancro alla prostata
psoriasis	la psoriasi
rheumatism	il reumatismo; i reumatismi *pl*
septicaemia	la setticemia
stroke	l'ictus cerebrale *m*

tumour	il tumore
injury	**la ferita**
to bleed	sanguinare
cast	l'ingessatura *f*
to clot	coagularsi
crutches	le stampelle
to cut oneself	tagliarsi
to dislocate	slogare; dislocare
fracture	la frattura
to injure	ferire
pain	il dolore
painful	doloroso
to scar	cicatrizzare
sprain	slogarsi
stitches	i punti *mpl*
to twist	storcersi
wheelchair	la sedia a rotelle
wound	la ferita
mental illness	**la malattia mentale**
to depress	deprimere
depressed	depresso
depression	la depressione
hypochondriac	ipocondriaco; malato immaginario
mad	pazzo
madness	la pazzia
manic-depressive	manodepressivo
obsession	l'ossessione *f*
personality disorder	il disordine psicologico

psychoanalysis	la psicanalisi
psychoanalyst	lo (la) psicanalista
psychologist	lo psicologo, la psicologa
psychology	la psicologia
psychopathic	lo psicopatico; la psicopatica
psychosomatic	psicosomatico
schizophrenia	la schizofrenia
self-esteem	l'autostima *f*
prevention	**la prevenzione**
aerobic	aerobico
calcium	il calcio
calorie	la caloria
check up	la visita generale di controllo
cholesterol	il colesterolo
diet	la dieta
energy	l'energia *f*
exercise	l'esercizio *m*
fit	in ordine; a posto; in buone condizioni
fitness	la buona condizine
flexible	flessibile
gym	la palestra
healthy	sano
minerals	i minerali
nutrition	la nutrizione
screening	il test precauzionale
sports	gli sport
stiff	rigido
supple	flessibile
tired	stanco

trace element	la traccia
unhealthy	malsano
weight-bearing	portante
vitamin	la vitamina
sickness	**la malattia**
to be ill	stare male; vomitare
to become ill	ammalarsi
contagious	contagioso
epidemic	l'epidemia *f*
germ	il germe
to get well	guarire
microbe	il microbo
plague	la peste
to recover	riacquistare la salute
sick	malato
to suffer	patire, soffrire
symptoms	**i sintomi** *mpl*
ache	il dolore
faint adj	svenuto
to faint	svenire
fever	la febbre
to heat	riscaldare
hoarse	rauco
hot	caldo
indigestion	l'indigestione *f*
intolerance	l'intolleranza *f*; l'allergia *f*
pain	il dolore
pale	pallido
perspiration	la traspirazione
to shiver	tremare

sore throat	il mal di gola
sweaty	sudato
swelling	il rigonfiameto
swollen	gonfio
temperature	la febbre
to turn pale	impallidire

for *chemist*, see **hospital**, *pharmacist p80*

DENTAL HEALTH	LA SALUTE DEI DENTI
abcess	l'ascesso *m*
amalgam	l'amalgame *m*
anaesthetic (local)	l'anestesia *f* (locale)
to bite	mordere
braces	l'arco *m* ortodontico; *(fam)*
(for straightening	l'apparecchio *m* per
teeth)	raddrizzare i denti
bridge	il ponte
broken	rotto
cap	la capsula
cavity	la carie
crown	la corona
dentist	il (la) dentista
dentures	la dentiera
to drain	drenare
drill	il trapano
to drill	trapanare
to extract	estrarre
extraction	l'estrazione *f*
filling	l'otturazione *f*
(made of) *gold*	d'oro

hygienist	l'igienista *m & f*
mouthwash	la risciacquatura della bocca
orthodontist	l'odontotecnico(a) *m(f)*
peg	la pinzetta
porcelain	la porcellana
to rinse out	risciacquarsi la bocca
root canal	il canale della radice
sore adj	dolorante; che fa male
temporary	temporaneo
tender	che fa male; dolorante
toothache	mal di denti
ulcer	l'ulcera *f*

bathroom	**la stanza da bagno, il bagno**
to air	arieggiare
bath	il bagno
to bathe	farsi il bagno
bathmat	il tappetino da bagno
bathrobe	l'accappatoio *m*
bathtub	la vasca
bidet	il bidet
burst adj (pipes)	rotto
to burst	rompersi
cabinet	l'armadietto *m*
condensation	il vapore
damp	umido
dry	asciutto

to dry oneself	asciugarsi
extractor fan	la ventola estrattiva
facecloth	la pezzuola
to floss	pulirsi i denti con il filo interdentale
to flush (the toilet)	tirare lo sciacquone
mirror	lo specchio
mould, mildew	la muffa
mouthwash	il collutorio
pipe	il tubo
plug	il tappo
plughole	il foro di scarico
plumber	l'idraulico *m*
to relieve oneself	andare di corpo
scales	la bilancia
shower	la doccia
sponge	la spugna
to take a shower	farsi la doccia
tap	il rubinetto
toilet bowl	la tazza del water (*pron vahtehr*)
toilet paper	la carta igienica
toothbrush	lo spazzolino da denti
tooth floss	il filo interdentale
toothpaste	il dentifricio
toothpick	lo stuzzicadenti
towel	l'asciugamano *m*
towel rail	il portasciugamano
to turn off (tap)	chiudere (il rubinetto)
to turn on (tap)	aprire (il rubinetto)
to wash	lavare

washbasin	il lavandino
to wash oneself	lavarsi
WC	il water (*pron vahtehr*)

see also **toiletries**, *p107*

bedroom	**la camera da letto**
alarm clock	la sveglia
to awaken	svegliarsi
bed	il letto
to go to bed	coricarsi, andare a letto
bedspread	il copriletto
blanket	la coperta
bolster	il guanciale
bunk bed	il letto a castello
chest of drawers	il cassettone, il comò
coat hanger	l'ometto *m*; l'attaccapanni *m*
cot	il lettino
drawer	il cassetto
dressing table	il tavolo da toletta
duvet	il piumino
duvet cover	il sacco per il piumino
the early hours	le ore piccole
electric blanket	la termocoperta
to fold	piegare
to get up early	alzarsi presto
hot-water bottle	la borsa dell'acqua calda
linen basket	il cesto della roba sporca
master bedroom	la camera da letto principale
mattress	il materasso
nightcap (drink)	il bicchierino prima di andare a letto

pillow	il cuscino
pillowslip	la federa
quilt	la coperta
screen	le tendine
sheets	le lenzuola
to sleepwalk	essere sonnambulo
sleepwalker	il sonnambulo, la sonnambula
sleepwalking	il sonnambulismo
slippers	le pantofole
stool	lo sgabello
to wake	svegliare
wardrobe	l'armadio *m*
building	**l'edificio** *m*
air conditioning	l'aria condizionata *f*
angular adj	angolare
beam	la trave
board	la tavola
boiler	la caldaia
brick	il mattone
to build	costruire
building site	il cantiere di costruzione
cable	il cavo
ceiling	il soffitto
cement	il cemento
chimney	il camino
circuit breaker	l'interruttore *m* automatico
column	la colonna
concrete	il calcestruzzo
contractor	l'appaltatore *m*
cornerstone	la pietra angolare

coving	l'arcata *f*
to demolish	demolire
to destroy	distruggere
drainpipe	il tubo di scolo / di scarico
ducting	il condotto; la tubatura
electricity supply	la fornitura di energia elettrica
fireplace	il caminetto
floor	il pavimento
foundations	le fondamenta
to found	fondare
fusebox	la scatola delle valvole
gutter	la grondaia
heating system	il sistema di riscaldamento
joist	il travetto; il travicello
meter (for gas etc)	il contatore
partition wall	la parete
pipework, welding	le tubature, il sistema idraulico; l'impiombatura *f*
plan	il progetto; la pianta
plaster	lo stucco
plumbing	le tubature, il sistema idraulico
repair	riparare, restaurare
roof	il tetto
roof tile	la tegola
sand	la sabbia
to screed	fissare le guide dell'intonaco
shutter	le imposte, le tapparelle, le persiane, gli scuri
skirting	lo zoccolo

slate	la pietra lavagna; l'ardesia *f*
smoke detector	l'allarme *m* antifumo
solid adj	solido
step	il gradino
stone	la pietra
stopcock	il rubinetto d'arresto *m*
tile (for patio etc)	i mattoni
tiles (for walls, floors)	le piastrelle *f*; le mattonelle *f*
tiling	il rivestimento di piastrelle
vent	la ventola
wall	il muro
water tank	il serbatoio dell'acqua
wood	il legno
to clean	**pulire**
basket	il cesto
broom	la scopa
bucket	il secchio
clean	pulito
dirty	sporco
dustpan	la paletta
empty	vuoto
to empty	svuotare
to fill	riempire
full	pieno
to rub	strofinare, sfregare
to scrub	strofinare
to sweep	scopare
to wash (dishes)	lavare
to wipe	strofinare

corridor	**il corridoio**
grandfather clock	la pendola; l'orologio *m* a pendolo
hall (large room)	la sala; il salotto; il soggiorno
hall, lobby	il vestibolo
hatstand	l'attaccapanni *m;* il guardaroba
decoration	**la decorazione; le stuccature artistiche**
antiquated	antiquato
antique	antico
carpet	la mochetta, la moquette
chintz	il cinz
comfortable	comodo
curtain	la tenda
damask	damascato
eggshell finish	la finitura a buccia d'uovo
emulsion paint	la vernice con emulsionante
frame	la cornice
furnished	ammobiliato, arredato
furniture	i mobili; il mobilio; l'arredamento *m*
gloss paint	la vernice lucida
to hang	appendere
hessian	la tela grezza
to keep, preserve	mantenere, conservare
linen	il lino
(made of) linen	di lino
loose cover	la fodera
luxurious	lussuoso

modern	moderno
moth-eaten	tarlato
paint	la vernice
to paint	pitturare, colorare, verniciare
paint chart	il campionario
photograph	la fotografia
photograph album	l'album *m* fotografico
picture	il quadro
a piece of furniture	il mobilio
portrait	il ritratto
radiator	il termosifone
roomy, spacious	spazioso, ampio
rug, mat	il tappeto
samples	i campioni
to sand	passare a cartavetrata
sandpaper	la carta vetrata
silk finish	la finitura a seta
to take down	togliere
tapestry	la tappezzeria
uncomfortable	scomodo
Venetian blind	la (persiana alla) veneziana
wallpaper	la carta da parati
to wallpaper	rivestire con carta da parati
to weave (carpet etc)	tessere
dining room	**la sala da pranzo**
beverage, drink	la bibita, la bevanda
bottle	la bottiglia
bottle-opener	l'apribottiglie *m*
breakfast	la colazione
to breakfast	fare colazione

to carve (meat)	trinciare
chair	la sedia
china	il servizio di porcellana;
	il vasellame di porcellana
coffee mill	il macinino del caffè
coffee pot	la caffettiera
cork	il tappo
corkscrew	il cavatappi
to cover	coprire
crockery	il vasellame
cup	la tazza
to cut	tagliare
cutlery	la coltelleria
(set of) *cutlery*	le posate
dessert spoon	il cucchiaio da dolci
dinner, supper	la cena
to drink	bere
to eat, dine	cenare
fork	la forchetta
(drinking) *glass*	il bicchiere
gravy	il sugo
gravy / sauceboat	la salsiera
ice bucket	il secchiello del ghiaccio
to keep warm	tenere in caldo
knife	il coltello
lunch	il pranzo
to lunch	pranzare
meals	i pasti
mustard pot	il barattolo della senape
mustard spoon	il cucchiaio della senape

napkin	il tovagliolo
pepper grinder	il macinino del pepe
plate	il piatto
porcelain	la porcellana
to pour out	versare
to pull out	tirare fuori
salt cellar	la saliera; il salarino
sauce (sauceboat)	la salsa (la salsiera)
saucer	il piattino
serving dish	il piatto di portata
sharp	affilato; tagliente
sideboard	la credenza
spoon	il cucchiaio
spoonful	il cucchiaiata
stainless steel	l'acciaio *m* inossidabile
sugar bowl	la zuccheriera
to have supper	cenare
table	la tavola
tablecloth	la tovaglia
table mat	il mollettone
table service	il servizio da tavola
tablespoon	il cucchiaio da tavola
tea pot	la teiera
teaspoon	il cucchiaino
to toast (health)	brindare
tray	il vassoio
to uncork	stappare
to uncover	scoprire
electricity	**l'elettricità** *f*
central heating	il riscaldamento a termosifoni

fan	la ventola
light bulb	la lampadina
meter	il contatore
plug	la spina
socket	la presa della corrente
switch	l'interruttore *m*
to switch off	spegnere
to switch on	accendere
fire	**il fuoco**
ashes	la cenere
to blaze	ardere
to burn	bruciare
burning	ardente
charcoal	la carbonella
coal	il carbone
embers	la brace
firewood	la legna
flame	la fiamma
to glow	risplendere
hearth	il focolare
to light	accendere
matches	i fiammiferi
to poke	attizzare
poker	l'attizzatoio *m*
to scorch	bruciacchiare, inaridire
shovel	la pala
smoke	il fumo
to smoke (of fire)	fumare
to smoulder	bruciare sotto la cenere
spark	la scintilla

to sparkle	scintillare
stove (for heat)	la stufa
woodcutter	il boscaiolo
housing	**gli alloggi**
apartment block	la palazzina di appartamenti; il condominio
bungalow	il bungalow
caravan	la roulotte
castle	il castello
chalet	lo chalet
cottage	la casetta di campagna; il rustico
council house	la casa popolare
country house	la casa di campagna; la cascina; il rustico
(big) *country house*	la villa di campagna
farmhouse	la casa colonica, la fattoria
house	la casa
houseboat	la casa galleggiante
hut	la capanna
igloo	l'iglù *m*
lighthouse	il faro
log cabin	la legnaia
manor house	la casa padronale
mansion	il palazzo; la villa
palace	il palazzo
penthouse	l'attico *m*
semi-detached	la villetta bifamiliare
shack	il tugurio
shanty	la baracca

shantytown	la baraccopoli
stately home	la dimora signorile
tepee	il tipì
terraced house	la casetta a schiera
villa	la villa
inside	**l'interno** *m*
banisters	la ringhiera
door	la porta
fanlight	la finestra sopra la porta
hinge	il cardine
to inhabit	abitare
inhabitant	l'abitante *m & f*
jamb (door frame)	la cornice della porta
key	la chiave
lintel	l'architrave *m*
lock	la serratura
to lock	chiudere a chiave
to open	aprire
opening	l'apertura *f*
to reside	dimorare, risiedere
residence	la dimora, la residenza
room	la stanza
to shut, close	chiudere
staircase	la tromba delle scale
stairs	le scale
kitchen	**la cucina**
appliance	gli elettrodomestici da cucina
barbecue grill	la graticola da barbecue
bench	la panca

to boil	bollire
cabinet	la credenza
casserole	la casseruola
chopping board	il tagliere
to cook	cucinare
dishcloth	il canovaccio per i piatti
dishwasher	la lavastoviglie
draining board	lo scolatoio
electric cooker	la cucina elettrica
food mixer	il frullatore
food processor	il tritatutto
freezer	il cogelatore; il freezer
frying pan	la padella
gas cooker	la cucina a gas
glassware	la cristalleria
grater	la grattugia
grill	la griglia
iron	il ferro da stiro
ironing board	la tavola da stiro
jug	la brocca
kitchen knife	il coltello da cucina
larder	la dispensa
lid, cover	il coperchio
microwave	il forno a microonde
to microwave	cuocere al forno a microonde
oven	il forno
oven glove	il guantone da forno
pantry	la dispensa
pitcher	la brocca; l'anfora *f*; la caraffa
plate rack	lo scolapiatti *m*

pot	la pentola
pressure cooker	la pentola a pressione
refrigerator	il frigorifero
roasting tin	la teglia da arrosti
rubbish	le immondizie *fpl*
rubbish bin	la pattumiera
saucepan	la pentola; la casseruola; il tegame
sewing machine	la macchina da cucire
shelf	lo scaffale
sink	il lavello; il lavandino
spatula	la spatola
tea towel	il canevaccio
toaster	il tostapane
utensils	gli utensili
utility room	lo sgabuzzino
vacuum cleaner	l'aspirapolvere *m*
washing machine	la lavastoviglie; la lavapiatti
washing powder	il detersivo
waste disposal unit	il tritatutto incorporato
wooden spoon	il cucchiaio di legno; il mestolo
worktop	la superficie da lavoro
lighting	**l'illuminazione** *f*
candle	la candela
candlestick	il candeliere
dazzle, splendour	l'abbigliamento *m*
lamp	la lampada
lampshade	il paralume
light	la luce

light fitting	l'incastro *m* della lampadina; il sistema di illuminazione
light switch	l'interruttore *m*
to light up	illuminarsi
to put out	spegnere
wax	la cera
wick	lo stoppino
living room	**il soggiorno**
CD player	il mangia CD; il CDplayer (*pron cheedee*)
DVD player	il mangia DVD; il DVDplayer
hi-fi	l'alta *f* fedeltà; l'HI-FI *m*
LP	l'LP *m* (*pron lehllehpee*)
radio	la radio
record-player	il giradischi
television	il televisore
video recorder	il video registratore
lounge (of hotel)	**il salone**
bar	il bar
cocktail	il cocktail
drinks	le bibite
(spirit with [soda] water)	il drink
guest	l'ospite *m* & *f*
to invite	invitare
to serve	servire
table	il tavolo
office / study	**l'ufficio *m***
answerphone	la segreteria telefonica

calculator	il calcolatore
computer	il computer; il cervello elettronico
to correct	correggere
cupboard	la credenza
to edit	redigere
envelope	la busta
fax	il fax; il facsimile
filing cabinet	lo schedario
floppy disk	il floppydisc; il dischetto
handwriting	la scrittura
keyboard	la tastiera
modem	il modem
monitor	il monitor; lo schermo; il terminale
mouse	il mouse; il topo
paper	la carta
postage stamp	il francobollo
printer	la stampante
software	il software
stationery	la cancelleria
swivel chair	la sedia girevole
telephone	il telefono
to type	dattiloscrivere
typewriter	la macchina da scrivere
to write	scrivere
writing desk	la scrivania

see also **WORK**, BUSINESS, **office** *p218*

outbuildings	**le strutture** *fpl* **esterne**
bolt	il chiavistello
flowerpot	il vaso

garage	l'autorimessa *f*; il garage
garden tools	gli attrezzi da giardino
hasp	il fermaglio
ladder	la scala
neglected	trascurato, trasandato
padlock	il lucchetto
shed	la rimessa
storage	la casetta degli attrezzi
whitewashed	imbiancato
wooden	di legno
worm-eaten	mangiato dai vermi; tarlato
outside adj	**all'esterno**
outside adv	**fuori**
balcony	il balcone
doorbell	il campanello
doorkeeper	il portinaio
doorknocker	il battente
doormat	lo zerbino
to enter	entrare
entrance	l'ingresso *m*
façade	la facciata
front door	l'entrata *f* principale
glass	il vetro
to go out	uscire
to knock at the door	bussare alla porta
to lock up	sbarrare
porch	il portico
shutters	le imposte;la persiana, la tapparella *(roll-up type)*; gli scuri

threshold	la soglia
way out	l'uscita *f*
window	la finestra
windowpanes	i vetri della finestra
windowsill	il davanzale
ownership	**la proprietà**
agent	l'agente *m* immobiliare
change	cambiare
contract	il contratto
deposit	il deposito
estate agent	l'agente *m* immobiliare
forfeit	il forfé
to forfeit	fare forfé, forfettare
freehold	la proprietà assoluta; l'allodio *m*
to hire (eg a car)	noleggiare
interest (on payment)	l'interesse *m* (sui pagamenti)
landlord, owner	il proprietario; il padrone di casa
lease	prendere (dare) in affitto, in leasing; noleggiare
lessee	il titolare di un lease; l'affittuario(a) *m* (*f*); il locatario; l'inquilino(a) *m* (*f*)
to let	affittare
life insurance	l'assicurazione *f* sulla vita
mortgage	l'ipoteca *f*
to move house	traslocare
to own	possedere; avere in proprietà

repayment	la rata; il pagamento rateale
rent (payment)	l'affitto *m*
to rent	affittare; prendere in affitto
to sublet	subaffittare
tenant	l'inquilino(a) *m* (*f*);
	l'affittuario(a) *m* (*f*)
sitting room	**il soggiorno; il salotto**
armchair	la poltrona
book(s)	il libro (i libri)
bookcase	la libreria
bookshelf	lo scaffale
chair	la sedia
clock	l'orologio *m*
couch	il divano; il sofà; il canapè
cushion	il cuscino
ornament	l'ornamento *m*
to relax	rilassarsi; distendersi
to rest	riposarsi
rocking chair	la sedia a dondolo
seat	il posto
to sit down	sedersi
to be sitting	stare seduto; sedere
sofa	il divano
stool	lo sgabello
storeys	**i piani**
to ascend	salire
ascent	la salita
attic	l'attico *m;* la soffita
cellar	la cantina
descent	la discesa

downstairs	al piano inferiore; dabbasso
first floor	il primo piano
to go down	scendere
to go up	salire
ground floor	il pianterreno
landing	il pianerottolo
lift	l'ascensore *m*
low	basso
top floor	l'ultimo *m* piano
upstairs	al piano superiore; di sopra
toiletries	**i cosmetici; gli articoli da toeletta**
aftershave	il dopobarba
bath oil	l'olio *m* da bagno
body lotion	la lozione idratante per il corpo
cleanser	la lozione tonificante
compact	la cipria compatta
(hair) conditioner	il balsamo (per i capelli)
ear drops	le gocce per le orecchie
electric razor	il rasoio elettrico
emery board	la limetta per le unghie
eye drops	le gocce per gli occhi
face cream	la crema per il viso
face pack	la maschera di bellezza
first-aid kit	la cassetta del pronto soccorso
hairdryer	l'asciuga *m* capelli, il fon
hair gel	il gel
hairnet	la reticella

hairpiece	il toupé
hairpin	la forcina
hairslide	il fermaglio
hairspray	la lacca per capelli
hand cream	la crema per le mani
lip gloss	il lucidalabbra
lip salve	il burro di cacao
lipstick	il rossetto
makeup	il trucco
nail clippers	le forbicine da unghie;
	le tronchesine
nail file	la limetta
nail varnish	lo smalto per unghie
razor (cut-throat);	il rasoio;
with separate blades	il rasio a lamette
razor blade	la lametta (da barba)
shampoo	lo sciampo
shaving foam	la spuma da barba
soap	il sapone
talcum powder	il borotalco
toner	il tonico
tools	**gli attrezzi**
awl	la lesina; il punteruolo
axe	l'ascia *f*
to dig	scavare
drill	il trapano
drill bit	la punta da trapano
(garden) *fork*	il forcone
glue	la colla
to glue, stick	incollare

hammer	il martello
to hammer	martellare
hoe	la zappa
to hoe	zappare
lawnmower	la tosaerba
nail	il chiodo
to nail	inchiodare
paintbrush	il pennello
pickaxe	il piccone
plane	la pialla
to plane	piallare
rake	il rastrello
to rake	rastrellare
to sand	smerigliare; passare a carta vetrata
sander	la smerigliatrice
saw	la sega
to saw	segare
sawdust	la segatura
screw	la vite
screwdriver	il cacciavite, il giravite
to screw (in)	avvitare
spade	la pala

THE HUMAN BODY   IL CORPO UMANO

appearance	**l'aspetto** *m*; **l'apparenza** *f*
beautiful	bello
beauty	la bellezza

big	grande
bony	ossuto; secco
broad	largo; ampio
fat	grasso
handsome	bello; di bell'aspetto
height	la statura
left	la sinistra
left-handed	mancino
long	alto
muscular	muscolare, musculoso
narrow	stretto
plump	grassottello; rotondetto
pretty	carino; bellino
right	la destra
right-handed	destro
short	basso
slight	esile; magro; snello
small	piccolo
strength	la forza
strong	forte
tall	alto
thin	magro; snello
ugliness	la bruttezza
ugly	brutto
weak	debole
weakness	la debolezza
hair	**i capelli** *mpl*
auburn	castano chiaro; biondo rame
bald	calvo
beard	la barba

bearded	barbuto
blond(e)	biondo(a)
body hair	i peli *mpl*
brown	castano
brush	la spazzola
to brush (hair)	spazzolarsi (i capelli)
clean-shaven	(ben) rasato
coarse	ruvido
comb	il pettine
to comb	pettinare
curl	il riccio
curly	ricciuto
dandruff	la forfora
dark	scuro
depilatory	depilatorio
facial hair	il pelo facciale
fair	chiaro
fine	sottile
grey hair	i capelli grigi
to grow a beard	farsi crescere la barba
haircut	il taglio di capelli
long	lungo
moustache	i baffi
plait	la treccia
red-haired	dai capelli rossi
rough	crespo
scalp	il cuoio capelluto
to shave	radersi
short	corto
sideburns	le basette

silky	setoso
smooth	liscio
HEAD	LA TESTA
ear	**l'orecchio** m, *pl* **le orecchie** f
eardrum	il timpano
earlobe	il lobo dell'orecchio
eye	**l'occhio** m
baggy-eyed	con le occhiaie
cornea	la cornea
cross-eyed	strabico
eyebrow	il sopracciglio m;
	pl le sopracciglia f
eyelash	il ciglio m; *pl* le ciglia f
eyelid	la palpebra
eyesight	la vista
far-sighted	dalla vista lunga, previdente
(figurative)	
iris	l'iride f
long-sighted	ipermetrico
one-eyed	guercio
pupil	la pupilla
retina	la retina
short-sighted	presbite (*when a product of*
	age); miope (*also figurative*)
squint	strabico
tear	la lacrima
to weep	piangere
weeping	il pianto
wide-eyed	dagli occhi grandi

face	**il viso**
beauty spot	il neo
complexion	la carnagione
dimple	la fossetta
expression	l'espressione *f*
freckle	la lentiggine
freckled	lentigginoso
to frown	aggrottare le sopracciglia
pore	il poro
wart	la verruca; il bitorzolo
wrinkle	la ruga
features	**i lineamenti**
cheek	la guancia
chin	il mento
forehead	la fronte
neck	il collo
skull	il cranio
throat	la gola
mouth	**la bocca**
to bite	mordere
eyetooth	il dente canino
gum	la gengiva
jaw	la mandibola
to lick	leccare
lip	il labbro
palate	il palato
to purse the lips	fare il broncio
smile	il sorriso
to smile	sorridere
taste buds	le papille gustative

tongue	la lingua
tooth	il dente
nose	**il naso**
aquiline	aquilino
bone (of nose)	il setto nasale
bridge (of nose)	il dorso del naso
hooked	a uncino
nostril	la narice
retroussé, snub	all'insù
LIMBS	GLI ARTI *mpl*; LE MEMBRA *fpl*
arm	**il braccio**
elbow	il gomito
finger	il dito *m*; *pl* le dita *f*
fingernail	l'unghia *f*
fist	il pugno
forearm	l'avambraccio *m*
hand	la mano
handful	la manciata
handshake	la stretta di mano
index finger	l'indice *m*
knuckle	la nocca
palm	la palma
thumb	il pollice
wrist	il polso
leg	**la gamba**
ankle	la caviglia
big toe	l'alluce *m*
bow-legged	dalle gambe arcuate
calf	il polpaccio

foot	il piede
hamstring	il tendine
heel	il calcagno
instep	il collo del piede
knee	il ginocchio
kneecap	la rotula
to kneel	inginocchiarsi
knock-kneed	dal ginocchio valgo
lame	zoppo
to limp	zoppicare
to run	correre
sole	la pianta del piede
thigh	la coscia
toe	il dito del piede
toenail	l'unghia *f*
to walk	camminare

TORSO	IL TORSO
artery	l'arteria *f*
back	la schiena
bladder	la vescica
blood	il sangue
bone	l'osso *m*; *pl* le ossa *f*
brain	il cervello
breast	il seno
to breathe	respirare
buttock	la natica
buttocks	le natiche *fpl*; il sedere *m sing*
capillary	capillare
cartilage	la cartilagine *f*

chest	il petto
to excrete	espellere
gland	la ghiandola
groin	l'inguine *m*
heart	il cuore
heartbeat	il battito (del cuore); il battito cardiaco
hip	il fianco
joint	la giuntura
kidney	il rene
larynx	la laringe
ligament	il legamento
liver	il fegato
lung	il polmone
muscle	il muscolo
ovary	l'ovaia *f*
penis	il pene
prostate	la prostata
pulse	il battito del polso
(to take) the pulse	sentire il polso
rib	la costola
scar	la cicatrice
scrotum	lo scroto
shoulder	la spalla
side	il fianco
skeleton	lo scheletro
skin	la pelle
spine	la spina dorsale
spleen	la milza
to sweat	secernere (sudore)

temperature	la temperatura
tendon	il tendine
testicle	il testicolo
urethra	l'uretra *f*
to urinate	urinare
urine	l'urina *f*
vagina	la vagina
vein	la vena
waist	la vita
windpipe	la trachea
womb	l'utero *f*

SENSES	I SENSI
consciousness	**la coscienza; l'essere** *(infinitive, used as m)* **cosciente**
alert	sveglio; all'erta; dai riflessi pronti
asleep	addormentato
to be awake	essere sveglio
breath	il respiro; l'alito *m*
to breathe	respirare
breathing	il respirare; il respiro
conscious	conscio; cosciente
to doze	sonnecchiare
dream	il sogno
to dream	sognare
drowsy	sonnolento, assonnato
to fall asleep	addormentarsi
(to be) hypnotised	(essere) ipnotizzato
to lie down	sdraiarsi

nightmare	l'incubo *m*
to raise	levarsi; alzarsi
repose	il riposo
to rest	riposarsi
reverie	la fantasticheria;
	il sogno ad occhi aperti
sleep	il sonno
to sleep	dormire
(to be) sleepy	(avere) sonno
to stand	stare in piedi
to stand up	alzarsi
trance	il trance
unconscious	inconscio
to wake up	svegliarsi
hearing	**l'udito *m***
acute	acuto
audible	udibile
clamour	il clamore; lo schiamazzo
deaf	sordo
deaf-mute	il sordomuto, la sordomuta
deafness	la sordità
dull	ottuso; smussato
emphasis	l'enfasi *f*
harmony	l'armonia *f*
to hear	udire, sentire
inaudible	impercettibile
intonation	l'intonazione *f*
to listen	ascoltare
listener	l'ascoltatore *m*
loud	alto; forte

music	la musica
musical	musicale
muted	smorzato; attutito
noise	il rumore
pitch	il tono; il grado di tonalità
quiet	la quiete; il silenzio
sound	il suono
tone	il tono
sight	**la vista**
blind	cieco
to blind	accecare
blinding	abbagliante
blindness	la cecità
blind spot	il punto cieco
blurred	offuscato
bright	sgargiante
clear	chiaro
to dazzle	abbagliare
flickering	tremolante
focus	il fuoco
to focus	mettere a fuoco
glance	l'occhiata *f*
to glance	dare un'occhiata a
invisible	invisibile
light	chiaro; luminoso
look	lo sguardo
to look	guardare
to notice	accorgersi
to observe	osservare
opaque	opaco

to see	vedere
seeing	la vista
sharp	acuto; aguzzo
transparent	trasparente
visible	visibile
vivid	vivido
(sense of) **smell**	**l'olfatto** *m*
appetising	appetibile; che stimola l'appetito *m*
aroma	l'aroma *m*
aromatherapy	l'aromaterapia; la terapia degli aromi
fragrance	la fragranza; la freschezza
odour	l'odore *m*
perfume	il profumo
scent	il profumo; l'odore *m*
smell	l'odore *m*
to smell (of)	sapere (di)
stench	la puzza; l'odoraccio *m*; il lezzo
to stink (of)	puzzare (di)
sweat	il sudore
to sweat	sudare
speech	**la parola**
to be quiet, silent	tacere; stare zitto
to deafen	assordare
deafening	assordante
laugh	il riso
to laugh	ridere
laughing adj	ridente

murmur	il mormorio
to murmur	mormorare
mute	muto; silenzioso; taciturno
muted	smorzato; attutito
perfect pitch	il tono giusto
raucous	rauco
to say	dire
saying	il detto
to shout	gridare
to sing	cantare
to speak	parlare
to talk	parlare; conversare
voice	la voce
whisper	il sussurro
to whisper	sussurrare
(sense of) **taste**	**il gusto**
bitter	amaro
delicious	delizioso
dry	asciutto; secco
flavour	il sapore
(to add) flavour	insaporire
rancid	rancido
salty	salato
to savour	assaporare
savoury	saporito
sweet	dolce
to taste	assaggiare
to taste (of)	sapere (di)
tasting	la degustazione
tasty	gustoso

(sense of) *touch*	**il tatto**
abrasive	abrasivo
to beat	battere
biting	mordace
burning	bruciante
to cling	aderire; appiccicicarsi
cold	freddo
damp	umido
dry	asciutto
to feel	sentire
freezing	gelato
to grasp	afferrare
to grip	afferrare strettamente
to handle	maneggiare
hot	caldo
lukewarm	tiepido
to massage	massaggiare
moist	umido; idratato
to pummel	battere; colpire; prendere a pugni
rough	ruvido
sensuous	sensuale
slippery	sdrucciolevole
smooth	liscio
stinging	pungente
to stroke	accarezzare
tactile	tattile
to touch	toccare
warm	caldo
wet	bagnato

to accuse	accusare
accused	l'accusato *m*, l'imputato *m*
Act of Parliament	la legge
to advocate	difendere
affidavit	l'affidavit *m*; la deposizione scritta e giurata
appeal	l'appello *m*
to appeal	appellarsi
appointment	un appuntamento
attorney at law	il procuratore legale
bail	la cauzione
to bail	pagare la cauzione
bailiff	l'ufficiale *m* giudiziario
barrister, lawyer	see **civil** *p125*, **criminal** *p126*
case law	il diritto giurisprudenziale; la giurisprudenza
clerk	l'impiegato(a) *m(f)*
court	il tribunale
Court of Human Rights	il Tribunale Europeo dei Diritti Umani
defence	la difesa
to defend	difendere
defendant	il convenuto, la convenuta; l'imputato *m*, l'imputata *f*
deposition	la deposizione
EC Directive	la Direttiva Europea
evidence	la prova, la testimonianza
examining magistrate	il giudice istruttore
illegal	illegale

indictment	l'accusa *f*
judge	il giudice
to judge	giudicare
judgement	il giudizio
judicial review	la revisione giudiziaria
jury	la giuria
just	giusto
justice	la giustizia
legal	legale
magistrates' court	la Procura
natural justice	la justizia naturale
notary (public)	il notaio
oath	il giuramento
to plead	difendere; perorare; dichiarare; implorare
precedent	il precedente
on remand	su rinvio a giudizio
to remand	rinviare
self-defence	l'autodifesa *f*
solicitor	il (la) consulente legale
statement	la dichiarazione
summons	la citazione
to summons	citare
to swear	giurare
transcript	la copia a verbale
trial	il processo
tribunal	il tribunale
unjust	ingiusto
witness	il testimone
to (bear) witness	testimoniare

to bequeath	**tramandare**
beneficiary	il beneficiario
heir	l'erede *m*
heiress	l'erede *f*
to inherit	ereditare
inheritance	l'eredità *f*
intestate	intestare
in trust	in affidamento
keepsake	il pegno d'amicizia
to make a will	fare testamento
will	il testamento
capital punishment	**la pena di morte**
electric chair	la sedia elettrica
executioner	il boia
firing squad	il plotone d'esecuzione
gallows	la forca
pardon	il condono
civil law	**il Diritto Civile**
arbitration	l'arbitrato *m*
barrister, lawyer	l'avvocato *m* civilista, l'avvocatessa *f* civilista
bigamist	il bigamo
bigamy	la bigamia
to embezzle	malversare; appropriarsi indebitamente
embezzlement	la malversazione
false imprisonment	la detenzione abusiva; l'incarceramento *m* illegale
fault	la colpa

fraud	la frode
illegal	illegale
to infringe	infrangere, violare, trasgredire
injury	il pregiudizio, il danno
lawsuit	la causa
plaintiff	l'attore *m* & *f*, il (la) querelante
to protect	proteggere
to sue	intentare una causa
suicide	il suicidio (*act*), il suicida (*person*)
testimony	la testimonianza, la deposizione
criminal law	**il Diritto Penale**
to arrest	arrestare
assault	l'assalto *m*, l'aggressione *f*
bandit	il bandito
barrister, lawyer	l'avvocato *m* penalista, l'avvocatessa *f* penalista
blackmail	il ricatto
to blackmail	ricattare
to commit	commettere
crime	il reato
handcuff	le manette
to handcuff	ammanettare
to hold hostage	tenere in ostaggio
kidnap	il rapimento
to kidnap	rapire
to kill	uccidere
murder	l'assassinio *m*

to murder	assassinare
murderer	l'assassino *m*
offence	il delitto
rape	lo stupro
rapist	lo stupratore
to restrain	trattenere; rinchiudere
restraint	la reclusione
to steal	rubare
theft	il furto
thief	il ladro
traitor	il traditore
treason	il tradimento
verdict	**il verdetto**
to acquit	assolvere
acquittal	l'assoluzione *f*
concurrently	in concomitanza con
to condemn	condannare
consecutively	di conseguenza
conviction	la condanna
fine	la multa
guilty	colpevole
to imprison	imprigionare
innocent	innocente
parole	la libertà provvisoria
preventive detention	la detenzione preventiva
prison	il carcere, la prigione
prisoner	il prigioniero, il carcerato
prison officer	la guardia carceraria
to prohibit	proibire

to rehabilitate	riabilitare
release	rilasciare
release on bail	la libertà provvisoria
remission	la remissione
sentence	la sentenza
to sentence	condannare
to serve	scontare
welfare	il benessere

LEARNING   L'EDUCAZIONE *f*

adult education	l'educazione *f* degli adulti; le scuole *fpl* serali
to bind (books)	legare; rilegare libri
blackboard	la lavagna
boarder	il (la) pensionante; il convittore, la convittrice
boys (girls)-only education	l'educazione *f* solo maschile (femminile)
bursary	l'economato *m*; la tesoreria
campus	il campus
chalk	il gesso
class	la classe
college	l'istituto *m*
course	il corso
cover (of book)	la copertina
day pupil	l'allievo *m* & *f* esterno
degree	il diploma universitario; la laurea

desk	il banco
doctorate	il dottorato
to draw	disegnare
to educate	istruire
educational	didattico
educationist	il (la) pedagogista
exercise book	il quaderno
to fold	piegare
grant	la borsa di studio
to grant	dare una borsa *f* di studio
higher education	l'educazione *f* universitaria
ink	l'inchiostro *m*
language lab	il laboratorio linguistico
lecture	la lezione universitaria; la conferenza
lecturer	il docente universitaria; il conferenziere
lesson	la lezione scolastica
line (eg ruled)	la riga; la linea
marker pen	l'evidenziatore *m*
to memorise	memorizzare
mixed education	l'istruzione *f* mista
overhead projector	la lavagna luminosa
overhead slide	la pagina trasparente
notebook	il blocknotes
nursery school	l'asilo infantile *m*; la scuola materna
page	la pagina
pen	la penna
pencil	la matita

playschool	il nido d'infanzia
primary school	la scuola elementare
project	il progetto
projector	il proiettore
pupil	l'allievo *m*
ruler	il regolo; il righello
scholarship	la borsa di studio
scholarship holder	il titolare di una borsa di studio
screen	lo schermo *m*
secondary education	l'educazione *f* secondaria
seminar	il seminario
sheet of paper	il foglio di carta
streamed	l'educazione *f* per corsi
student	lo studente
student loan	il prestito universitario
to study	studiare
to teach	insegnare
teacher	l'insegnante *m & f*
tertiary education	l'educazione *f* terziaria
tutor	il tutore
university	l'università *f*
university life	la vita universitaria
whiteboard	la lavagna (bianca)
to write	scrivere
current events	**l'attualità** *f*
accurate	accurato
to advertise	pubblicizzare
advertisement	l'annuncio *m* (pubblicitario)
to announce	annunciare

announcement	l'annuncio *m*;
	la comunicazione
article	l'articolo *m*
to be well-informed	essere bene informato(a)
feature	il servizio speciale
magazine	la rivista
news	le notizie *fpl*
newspaper	il giornale
report	il rapporto
to report	rapportare
reporter	il relatore, il (la) reporter
rolling news	dare le ultime notizie
history	**la storia**
alliance	l'alleanza *f*
ally	l'alleato *m*
to ally	alleare
archaeologist	l'archeologo *m*
archaeology	l'archeologia *f*
the Bronze Age	l'Età *f* del Bronzo
carbon dating	la carbodatazione
chivalry	la cavalleria
civilisation	la civiltà
to civilise	civilizzare
to colonise	colonizzare
colony	la colonia
to conquer	conquistare
conqueror	il conquistatore
conquest	la conquista
contemporary	contemporaneo
the Dark Ages	l'Alto *m* Medioevo

to decay	decadere
decline	il declino
to decline	declinare
to destine	destinare
destiny	il destino
to diminish	diminuire
to discover	scoprire
discovery	la scoperta
to disturb	disturbare
document	il documento
documentary	il documentario
to emancipate	emancipare
emancipation	l'emancipazione *f*
empire	l'impero *f*
to enlarge	ampliare, ingrandire
event	l'evento *m*, l'avvenimento *m*
to excavate	scavare
to explore	esplorare
explorer	l'esploratore *m*, l'esploratrice *f*
to free	liberare
to happen	succedere, avvenire
historian	lo storico
historiography	la storiografia
imperial	imperiale
increase	l'aumento *m*
to increase	aumentare
independence	l'indipendenza *f*
the Iron Age	l'Età *f* del Ferro
knight	il cavaliere

liberator	il liberatore
the Middle Ages	il Medio Evo *m*
missionary	il missionario
oral tradition	la tradizione orale
piracy	la pirateria
pirate	il pirata
power	il potere, la potenza
powerful	potente
rebel	il ribelle
rebellion	la ribellione
Reformation	la riforma
renowned	noto
rising	l'insurrezione *f*
romance	romanzo
slave	lo schiavo
slavery	la schiavitù
source	la fonte
the Stone Age	l'Età *f* della Pietra
territory	il territorio
trade	il commercio
treasure	il tesoro
language	**la lingua**
article	l'articolo *m*
chapter	il capitolo
colon	i due punti
comical	comico
comma	la virgola
conversation	la conversazione
to converse	conversare
to correspond	corrispondere

correspondence	la corrispondenza
to describe	descrivere
description	la descrizione
dictionary	il dizionario
elocution	la dizione
eloquence	l'eloquenza *f*
eloquent	eloquente
example	l'esempio *m*
exclamation mark	il punto esclamativo
to express	esprimere
expressive	espressivo
extract	l'estratto *m*
to extract	estrarre
fable	la favola
full stop	il punto
grammar	la grammatica
idiom	l'idioma *m*
idiomatic	idiomatico
imagination	la fantasia
to imagine	immaginare
to interpret	interpretare
interpretation	l'interpretazione *f*
interpretative	interpretativo
interpreter	l'interprete *m & f*
letter (of alphabet or correspondence)	la lettera
line (poetry)	il verso
line (prose)	la riga
literal	letterale
literary	letterario

literature	la letteratura
to mean	significare, voler dire
meaning	il significato
metaphor	la matafora
to name	nominare
noun	il sostantivo
object	l'oggetto *m*
orator	l'oratore *m*
paraphrase	la parafrase
to paraphrase	parafrasare
poetry	la poesia
to pronounce	pronunciare
question mark	il punto interrogativo
quotation	la citazione
to quote	citare
semi-colon	il punto e virgola
sentence	la frase
simile	la similitudine
speech	il discorso
(to give) a speech	dare un discorso
to spell	scrivere, compitare
spelling	l'ortografia *f*
stanza	la stanza, la strofa
subject	il soggetto
syllable	la sillaba
talkative	loquace
to translate	tradurre
translation	la traduzione
translator	il traduttore, la traduttrice
to understand	comprendere

verse	il verso
vocabulary	il vocabolario
voice	la voce
word	la parola
	see also **CULTURE**, LITERATURE, *p60*
the learning curve	**la curva di apprendimento**
to be able (to), can	potere
absent-minded	distratto
to absorb (learn)	assimilare
admiration	l'ammirazione *f*
to admire	ammirare
to annotate	annotare; prender nota di
annotation	l'annotazione *f*
answer	la risposta
to answer	rispondere
to approve	approvare
to ask (question)	domandare
to ask for	chiedere
attention	l'attenzione *f*
attentive	attento
(to be) attentive	(stare / essere) attento
to attract	attrarre
attractive	attraente
to behave	comportarsi
blame	la colpa
to blame	incolpare
to comprehend	comprendere
comprehension	il compredimento
conduct	il comportamento
to copy	copiare

to correct	correggere
correction	la correzione
to cram (for an examination)	sgobbare
crammer	lo sgobbone
to deserve	meritare
to develop	sviluppare
difficult	difficile
difficulty	la difficoltà
to disapprove	disapprovare
disobedience	la disubbidienza
disobedient	disubbidiente
to disobey	disubbidire
duty	il dovere
ease	la facilità
easy	facile
effort	lo sforzo
to endeavour	sforzarsi
essay	il saggio
essayist	il saggista
examination	l'esame *m*
to examine	esaminare
examiner	l'esaminatore *m*, l'esaminatrice *f*
to exclaim	esclamare
exercise	l'esercizio *m*
to exercise	esercitare
to explain	spiegare
explanation	la spiegazione
to forget	dimenticare

forgetful	smemorato
forgetfulness	smemoratezza
graduate	il laureato, la laureata
to graduate	laurearsi
hard-working	industrioso, operoso, lavoratore
to have to	dovere
holidays	le vacanze
homework	i compiti
idea	l'idea *f*
inattention	la disattenzione
inattentive	disattento
to indicate	indicare
indication	l'indicazione *f*
to interest	interessare
interesting	interessante
to join	aderire a
to join (a course)	iscriversi a
to join (together)	congiungere
laziness	la pigrizia
to learn	imparare
lenience	la clemenza
lenient	clemente
(to be) let off	essere esonerato
mark	il voto
to mark	correggere
to misbehave	comportarsi male
to note	annotare; prendere nota di
to note down	annotare
obedience	l'ubbidienza *f*

obedient	ubbidiente
to obey	ubbidire
to pass an exam	superare un esame
to point out	segnalare
practice	la pratica
to practise	esercitarsi (in)
praise	la lode, l'elogio *m*
to praise	lodare
progress	il progresso
to make progress	fare progressi; progredire
prize	il premio
proof	la prova
to prove	provare
to punish	castigare, punire
punishment	il castigo, la punizione
reference	la referenza; il riferimento
to relate to	riferirsi a
remarkable	notevole
to reward	premiare
severity	la severità
to sit an exam	dare un esame
strict	severo
studious	studioso
to swot	sgobbare
task	il compito
thematic	tematico
theme	il tema
thesis	la tesi
thesis supervisor	il relatore di tesi
to think	pensare

threat	la minaccia
to threaten	minacciare
together	insieme con
to try	provare
to understand	capire
understanding	comprensivo
vacancy	la vacanza
work	il lavoro
to work	lavorare
mathematics	**la matematica**
acute angle	l'angolo *m* acuto
to add	sommare
addition	l'addizione *f*
algebra	l'algebra *f*
angle	l'angolo *m*
arc	l'arco *m*
arithmetic	l'aritmetica *f*
binary	binario
brackets	le parentesi
to calculate	calcolare
calculation	il calcolo
calculator	il calcolatore
calculus	il calcolo
centre	il centro
circle	il cerchio
circumference	la circonferenza
to complicate	complicare
correct	corretto
cosine	il coseno
to count	contare

curved	curvo
decimal	decimale
decimal place	il posto decimale
to demonstrate	dimostrare
diameter	il diametro
to divide	dividere, spartire
division	la divisione
divisor	il divisore
double	doppio
dozen	la dozzina
equal	uguale
equality	l'uguaglianza *f*
factor	il fattore
figure	la cifra
fraction	la frazione
geometry	la geometria
half	la metà
horizon	l'orizzonte *m*
horizontal	orizzontale
incorrect	inesatto
integer	il numero intero
logarithm	il logaritmo
mental arithmetic	l'aritmetica *f* mentale
minus	meno
multiplication	la moltiplicazione
to multiply	moltiplicare
number	il numero
obtuse angle	l'angolo *m* ottuso
parallel	parallelo
part	la parte

perpendicular	perpendicolare
plus	più
problem	il problema
to produce	produrre
producer	il produttore
product	il prodotto
quarter	il quarto
quotient	il quoziente
radius	il raggio
remainder	il resto
result	il risultato
to result	risultare
right angle	l'angolo *m* retto
simple	semplice
sine	il seno
to solve	risolvere
space	lo spazio
spacious	spazioso
square	il quadrato
straight	retto
to subtract	sottrarre
subtraction	la sottrazione
tangent	la tangente
third	il terzo
triangle	il triangolo
triple	triplice, triplo
wrong	sbagliato
zero	lo zero
measurement	**la misura**
acre	l'acro *m*

centimetre	il centimetro
to compare	paragonare
comparison	il paragone
to contain	contenere
contents	il contenuto
decilitre	il decilitro
foot	il piede
gramme	il grammo
half	mezzo (*used without article,* *eg* mezzo litro, mezzo chilo)
heavy	pesante
hectare	l'ettaro *m*
hectogramme	l'etto *m*
inch	il pollice
kilo(gramme)	il chilo(grammo)
kilometre	il chilometro
light	leggero
litre	il litro
long	lungo
measure	la misura
to measure	misurare
metre	il metro
metric system	il sistema metrico decimale
mile	il miglio
millimetre	il millimetro
scales	la bilancia
short	corto
ton	la tonnellata
to weigh	pesare
weight	il peso

weights	i pesi
yard	la iarda
physical geography	**la geografia fisica**
atlas	l'atlante *m*
compass	la bussola
contours	il contorno; il profilo; la curva di livello
doldrums	il doldrums
east; the East	l'est *m*; l'Oriente *m*
Equator	l'Equatore *m*
latitude	la latitudine
longitude	la longitudine
magnetic north	il nord magnetico
map	la mappa
meridian	il meridiano
north	il nord; il settentrione
northern hemisphere	l'emisfero *m* settentrionale
North Pole	il Polo Nord
orienteering	l'orientamento *m*
projection (map)	la proiezione
south	il sud; il meridione
southern hemisphere	l'emisfero *m* meridionale
South Pole	il Polo Sud
temperate zone	la zona temperata
tropics	i Tropici
true north	il nord assoluto
true south	il sud assoluto

west; the West	l'ovest *m*; l'Occidente *m*
	see NATURE *p159ff* for topographical features
political geography	**la geografia politica**
to approach	avvicinarsi
border	il confine
citizen	il cittadino
city	la città
compatriot	il compatriota
country	il paese
to determine	determinare
distance	la distanza
distant	lontano
emigrant	l'emigrante *m*
to emigrate	emigrare
ethnic	etnico
expatriate	espatriare
frontier	la frontiera
immigrant	l'immigrante *m & f*
limit	il limite
nation	la nazione
nationalism	il nazionalismo
nationalist	il nazionalista
nationality	la nazionalità
near	vicino
neighbour	il vicino di casa
parish	la parrocchia
parochial	parrocchiale
patriot	il patriota
patriotic	patriottico
people	il popolo

to people	popolare
place	il luogo
population	la popolazione
populous	popoloso
province	la provincia
provincial	provinciale
race (of people)	la razza
region	la regione
town	la città
tribal	tribale
tribe	la tribù
village	il paese, il villaggio
villager	il paesano
visa	il visto
work permit	il permesso di lavoro

SCIENCE	LA SCIENZA
conclusion	la conclusione
to demonstrate	dimostrare
demonstration	la dimostrazione
engineer	l'ingegnere *m & f*
to engineer	organizzare; dirigere
engineering	l'ingegneria *f*
experience	l'esperienza *f*
hypothesis	l'ipotesi *f*
to hypothesise	ipotizzare
hypothetical	ipotetico
(to be) ignorant of	essere all'oscuro di
inexperience	l'inesperienza *f*
irrational	irrazionale

to know (a fact)	sapere
to know (a person)	conoscere
knowledge	la conoscenza, il sapere
method	il metodo
rational	razionale
sage	il saggio
scientific	scientifico
scientist	lo scienziato
theoretical	teoretico
theory	la teoria
wisdom	la saggezza
wise	saggio
biology	**la biologia**
animal testing	gli esperimenti su animali; la vivisezione
biological	biologico
biologist	il biologo
classification	la classificazione
to classify	classificare
to curate	curare
curator	il curatore
to dissect	sezionare
identification	l'identificazione *f*
to identify	identificare
lens	la lente
Linnaean system	il sistema di Linneo
microscope	il microscopio
pest	l'animale *m* nocivo
preservative	il (fattore) conservante
to preserve	conservare

quarantine	la quarantena
to research	ricercare
researcher	il ricercatore
specimen	il campione
systematist	il sistematico
taxonomist	il tassonomo
taxonomy	la tassonomia
botany	**la botanica**

see **PLANTS** *p187*

chemistry	**la chimica**
chemical	chimico
to compose	comporre
compound	il composto
to decompose	scomporre
element	l'elemento *m*
experiment	l'esperimento *m*
hydrogen	l'idrogeno *m*
inorganic	inorganico
laboratory	il laboratorio
mixed	misto
mixture	la miscela, il miscuglio, la mistura
organic	organico
oxygen	l'ossigeno *m*
periodic table	la tavola periodica
rare earth	la terra rara
physics	*la fisica*
absolute zero	lo zero assoluto
atom	l'atomo *m*
to attract	attrarre

cryogenic	criogenico
electric	elettrico
electricity	l'elettricità *f*
electron	l'elettrone *m*
fission	la fissione
force	la forza
fusion	la fusione
heavy metal	il metallo pesante
heavy water	l'acqua *f* pesante
immobile	immobile
to invent	inventare
invention	l'invenzione *f*
magnetism	il magnetismo
matter	la materia
mechanics	la meccanica
mobile	mobile
to move	muoversi *intr*; muovere *tr*
movement	il movimento
muon	il muone
nucleus	il nucleo
optical	ottico
optics	l'ottica *f*
phenomenon	il fenomeno
photon	il fotone
physical	fisico
positron	il positrone
pressure	la pressione
quantum	il quanto
quark	il quark
to reflect	riflettere, rispecchiare

reflection	la riflessione, il riflesso
to refract	rifrangere
refraction	la rifrazione
to repel	respingere
strange	strano; estraneo

MONEY   IL DENARO

accounts	**la contabilità**
to acknowledge receipt	riconoscere la ricevuta di
to advance (money)	anticipare
audit	la revisione contabile
to audit	la contabilità
to balance	fare il bilancio
balance sheet	il bilancio
bookkeeping	la contabilità
cash on delivery	il pagamento alla consegna
cost	il costo
to cost	costare
credit	il credito
date	la data
to date	datare
debit	l'addebito *m*
to debit	addebitare
to deduct	dedurre
discount	lo sconto
due	dovuto
expenditure	le spese

to fall due	scadere
free of charge	gratuito
general income	il reddito
gross	lordo
in advance	in anticipo, in acconto
to inform	avvisare
invoice	la fattura
loan	il prestito
loss	la perdita
net	netto
to pay	pagare
payable on sight	pagabile a vista
payment	il pagamento
price	il prezzo
price list	il listino prezzi
profit	il profitto, l'utile *m*
quantity	la quantità
to receive	ricevere
retail	al dettaglio
salary	il salario
to sign	firmare
signature	la firma
to spend	spendere
trial balance	il bilancio di verifica
wages	la paga, lo stipendio
warning	l'avviso *m*
wholesale	all'ingrosso
auction	**l'asta** *f*
to acquire	acquisire
to auction	vendere all'asta

auctioneer	il banditore di aste
to bid	offrire
bidder	l'offerente *m & f*
to buy	comprare
buyer	il compratore, l'acquirente *m & f*
buyer's fee	l'offerta *f*
catalogue	il catalogo
client	il cliente
clientèle	la clientela
identification	l'identificazione *f*
lot	il gruppo; l'insieme
paddle	la paletta
to possess	possedere
purchase	l'acquisto *m*
to purchase	acquistare
reserve price	il prezzo minimo
sale	la vendita
to sell	vendere
seller	il venditore
seller's fee	la commissione del venditore; la parcella
telephone bid	l'offerta *f* telefonica
	see also **CULTURE**, ARTS, **antique** *p47*
investment	**l'investimento** *m*
bearish	in ribasso
blue-chip	la blue-chip
bonds	le obbligazioni; le garanzie
bonus	il buono
bullish	in rialzo
capital	il capitale

endowment	la donazione; il lascito; il fondo di dotazione
equities	le partecipazioni azionarie
financial advisor	il consulente finanziario
gilts	i titoli di stato
insurance	l'assicurazione *f*
to invest	investire
investment trust	il fondo comune di investimento
life insurance	l'assicurazione *f* sulla vita *f*
share	l'azione *f*
shareholder	il socio azionario
stockbroker	l'agente *m* di cambio
stock exchange	la borsa
term insurance	l'assicurazione *f* a termine
unit trust	fondo comune di investimento aperto
windfall	la bella sorpresa
with-profits	con profitto
personal finance	**la finanze personali**
bank	la banca
bank account	il conto bancario
bank book	il libretto di banca
bank card	la carta di credito
banker	il banchiere
banking	l'attività *f* bancaria
banknote	la banconota
(to go) bankrupt	fallire
bankruptcy	la bancarotta, il fallimento
bargain	l'affare *m*, l'occasione *f*

to bargain, haggle	mercanteggiare, contrattare
to be generous	essere generoso
to be mean	essere avaro
to borrow	prendere in prestito
(for) cash	in contanti
to cash a cheque	incassare un assegno
cashier	il cassiere
cheap	a buon mercato
coin	la moneta
creditor	il creditore
current account	il conto corrente
debt	il debito
(to be in) debt	essere indebitato
(to get into) debt	indebitarsi
(to be 'in the red')	(essere 'al verde')
debtor	il debitore
deposit	il deposito
to deposit	dare in deposito
deposit account	il conto di deposito
draft	la tratta, la cambiale
exchange	lo scambio
to exchange	scambiare
exchange rate	il corso dei cambi
expensive	caro
income	il reddito
income tax	la tassa sul reddito
(to pay by)	(pagare) a rate
instalments	
interest	l'interesse *m*
to lease	affittare

to lend	prestare
to obtain	ottenere
on credit	a credito
to owe	dovere qualcosa a qualcuno
to prepare	preparare
rate	il tasso
receiver	il ricevente
to save (money)	risparmiare
savings bank	la cassa di risparmio
savings book	il libretto di risparmio
second-hand	di seconda mano
to squander	sperperare
value	il valore
to value	valutare
worth adj	che vale valido
to be worth	valere
poverty	**la povertà**
to beg	mendicare
beggar	il mendicante
credit union	la cassa di risparmio
destitute	indigente
disadvantaged	svantaggiato
to eke out	essere parsimonioso
to endure	sopportare, subire
eviction	lo sfratto
homeless	senza tetto
hostel	l'ospizio *m*
malnourished	malnutrito
miserable	misero
misery	la miseria

necessity	la necessità, il bisogno
to need	necessitare di, bisognare di
pawnshop	il monte di pietà
penniless	squattrinato; senza una lira
penny	il penny; il nichelino
poor	povero
squatter	l'occupatore *m* abusivo
to suffer	soffrire; subire
victim	la vittima
wealth	**la ricchezza**
arbitrage	l'arbitrio *m*
arbitrageur	il giudice, l'arbitro *m*
bullion	l'oro *m* (in lingotti)
dollar	il dollaro
economics	l'economia *f*
economist	l'economista *m* & *f*
to enjoy	godere
enterprise	l'impresa *f*
entrepreneur	l'impresario *m*
euro	l'euro *m*
financier	il finanziatore
foreign currencies	le devise straniere
(to be) fortunate	(essere) fortunato
fortune	la fortuna
franc	il franco
fund management	l'amministrazione *f* del fondo
to get rich	arricchirsi
hedge fund	il fondo di riserva
inflation	l'inflazione *f*
ingot	il lingotto

mark	il marco
mint	la zecca
to mint	coniare
money market	il mercato del denaro
pound sterling	la lira sterlina
property	la proprietà
rental income	la rendita
rentier	la persona che vive di rendita; il redditiere; il redditiere, la redditiera
rich	ricco
schilling	lo scellino
speculation	la speculazione
speculator	lo speculatore
wealthy	ricco, facoltoso

NATURE   LA NATURA

ASTRONOMY	L'ASTRONOMIA *f*
asteroid	l'asteroide *m*
astrologer	l'astrologo *m & f*
astrology	l'astrologia *f*
astronomer	l'astronomo *m & f*
aurora borealis	l'aurora *f* boreale
Big Bang theory	la teoria del Big Bang / dell'esplosione della protomateria
brilliance	la brilliantezza
comet	la cometa

constellation	la costellazione
to create	creare
creation	la creazione
dawn	l'alba *f*
to dawn	albeggiare
dusk	il crepuscolo
eclipse	l'eclisse *f*
the evening star	la stella della sera; Venere
galaxy	la galassia
the Great Bear	l'Orsa *f* Maggiore
to grow dark	annottare
light year	l'anno *m* luce
meteor	la meteora
meteorite	il(la) meteorite
the Milky Way	la Via Lattea
observatory	l'osservatorio *m*
Orion	Orione
the Plough	il Carro ('*the Cart*')
radiant	radiante, brillante, fulgido, splendido
to radiate	irradiare
ray	il raggio
to rise	sorgere
to set (sun)	tramontare
to shine	splendere, brillare
shining	brillante
sky	il cielo
star	la stella
starry	stellato
sunrise	il sorgere del sole

sunset	il tramonto
supernatural	soprannaturale
telescope	il telescopio
to twinkle	scintillare
UFO	l'ufo *m*, gli ufo *pl* (*pron loofoh, ly oofoh*); oggetto *m* volante non identificato
world	il mondo
the planets	**i pianeti**
Earth	la Terra
gravity	la gravità
Jupiter	Giove
Mars	Marte
Mercury	Mercurio
Moon	la Luna
Neptune	Nettuno
orbit	l'orbita *f*
to orbit	orbitare
Pluto	Plutone
satellite	il satellite
Saturn	Saturno
Sun	il Sole
sunspot	la macchia solare
Uranus	Urano
Venus	Venere
weightless	senza peso
COAST	LA COSTA
bay	la baia
beach	la spiaggia

cape	il capo
causeway	la strada rialzata
cliff	la scogliera
coastal	costiero
cove	l'insenatura *f*
current	la corrente
deep	profondo
depth	la profondità
ebb tide	il riflusso
flood tide	il flusso
foam	la schiuma
gulf	il golfo
high tide	l'alta marea *f*
island	l'isola *f*
isthmus	l'istmo *m*
low tide	la bassa marea
promontory	il promontorio
rock pool	la piscina naturale
sand	la sabbia
sea	il mare
sea spray	la spruzzaglia delle onde
shore	la riva
stony	pietroso
straits	lo stretto
strand	la spiaggia; la riva
surf	il frangente;
	la spuma dei frangenti
surf (as sport)	il surf
tides	la marea
wave	l'onda *f*

alluvial	alluvionale
col	il passo; il valico
crag	la rupe
desert	il deserto
deserted	deserto
dune	la duna
earthquake	il terremoto
eruption	l'eruzione *f*
estuary	l'estuario *m*
fertile	fertile
flat	piano
fumarole	la fumarola
hill	la collina
hot spring	la sorgente d'acqua calda
knoll	la collinetta
lake	il lago
land	il terreno; l'appezzamento *m*
level	il livello
level adj	a livello, livellato
marsh	la palude
marshy	paludoso
mountain	il monte, la montagna
mountainous	montagnoso; montuoso
natural	naturale
peak	il picco
plain	la pianura
pond	lo stagno
quicksand	le sabbie mobili *fpl*
range of mountains	la catena di montagne
river	il fiume

rock	la roccia
slope	il pendío
spa	la stazione termale
spring	la sorgente
steep	ripido
stream	il ruscello
summit	il vertice, la cima
a swamp	la palude
tor	la vetta rocciosa
tundra	la tundra
undulating	ondulato
valley	la vallata; la valle
volcano	il vulcano
waterfall	la cascata

THE ENVIRONMENT	L'AMBIENTE *m*
concerns	**gli scrupoli**
to consume	consumare
consumerism	il consumismo
consumerist	il consumatore
distribution	la distribuzione
transportation	il trasporto
environmental	**ambientale**
bicycle	la bicicletta
conservation	la conservazione
to conserve	conservare
eco-friendly	ecologico
ecologist	l'ecologista *m & f*
ecology	l'ecologia *f*
ecosystem	l'ecosistema *m*

eco-warrior	il militante per l'ambiente *m*
environmentalism	l'ambientalismo *m*
environmentalist	l'ambientalista *m* & *f*
habitat	l'ambiente *m*
vegan	strettamente vegetariano
vegetarian	vegetariano
wildlife	la fauna
fossil fuels	**i combustibili fossili**
anthracite	l'antracite *f*
coal	il carbonfossile
gas	il gas (metano)
oil	il petrolio
oil rig	la piattaforma del petrolio
sedimentary	sedimentario
shale	l'argillite *f*; lo scisto
slag heap	il cumulo di scorie
spoil	i rifiuti; le scorie
industrial waste	**i rifiuti industriali**
asbestos	l'amianto *m*
biodegradable	biodegradabile
build-up	creare gradualmente
chemical run-off	le perdite chimiche
heavy metals	i metalli pesanti
industrialised	industrializzato
landfill	la discarica
to recycle	riciclare
recycling	il riciclaggio
rubbish	i rifiuti, le immondizie
rubbish tip	la discarica
sewage	le acque di fognatura; la fogna

toxic waste	i rifiuti tossici
waste	lo spreco; lo sperpero
to waste	sprecare, sperperare
water table	la superficie freatica
light pollution	**l'inquinamento** *m* **luminoso**
floodlight	il riflettore
street lighting	l'illuminazione *f* stradale
noise	**il rumore**
decibel	il decibel
noise pollution	l'inquinamento *m* acustico
to soundproof	insonorizzare
nuclear energy	**l'energia nucleare** *f*
cheap	a poco prezzo
critical mass	la massa critica
disaster	il disastro
fallout	la pioggia radioattiva
fission	la fissione
fusion	la fusione
half-life	l'emivita *f*
leak	la perdita
plutonium	il plutonio
radiation	la radiazione
radioactive	radioattivo
reactor	il reattore
secure	rendere sicuro
transportation	trasportare
uranium	l'uranio *m*
pollution	**l'inquinamento** *m*
acid rain	la pioggia acida
atmosphere	l'atmosfera *f*

carbon dioxide	il diossido di carbonio
to deforest	disboscare
deforestation	il disboscamento
emission	l'emissione *f*
greenhouse effect	l'effetto *m* serra
harmful	nocivo
hole	il buco
hole in the ozone	il buco nell'ozono
oil slick	la chiazza di greggio sul mare
oil spill	la fuga di petrolio
ozone layer	l'ozonosfera *f*
particulates	le particole *fpl*
to poison	avvelenare
poisonous	velenoso
pollutant	il fattore inquinante
to pollute	inquinare
rainforest	la foresta tropicale
slight pollution	l'inquinamento *m* leggero
smog	lo smog
spill	la perdita accidentale
toxic	tossico
unleaded petrol	la benzina senza piombo, ecologica
renewable	**rinnovabile**
charcoal	la carbonella, il carboncino
hydroelectricity	l'energia *f* idroelettrica
resource	la risorsa
solar panel	il pannello solare
underdeveloped	sottosviluppato
wave energy	l'energia *f* d'onda

wind energy	l'energia *f* eolica
windmill	il mulino

MINERALS	I MINERALI
metal	**il metallo**
acid	l'acido *m*
acidity	l'acidità *f*
alkali(s)	l'alcale *m* (gli alcali)
alkaline	alcalino
alloy	la lega
to make an alloy	legare; fare una lega
aluminium	l'alluminio *m*
to anneal	temprare, ricuocere, fortificare
bar	la barra
base adj	la base
brass	l'ottone *m*
bronze	il bronzo
to cast	colare
chrome	il cromo
copper	il rame
element	l'elemento *m*
to exploit	sfruttare
to extract	estrarre
forge	la forgia
to forge	forgiare
industry	l'industria *f*
ingot	il lingotto
iron	il ferro
iron adj	ferreo; di ferro

iron pyrites	la pirite di ferro
lead	il piombo
mine	la miniera
miner	il minatore
mining industry	l'industria *m* mineraria
mould	lo stampo
to mould	forgiare, modellare, imbutire
nickel	il nichel
ore	il minerale grezzo
plutonium	il plutonio
radium	il radio
rust	la ruggine
rusty	arrugginito
to smelt	fondere
to solder	saldare
steel	l'acciaio *m*
sulphur	lo zolfo
to temper	temprare
tin	lo stagno
weld	saldare
zinc	lo zinco
STONE	LA PIETRA
basalt	il basalto
to carve	intagliare
chalk	il gesso
clay	l'argilla *f*
conglomerate	conglomerato
granite	il granito
igneous	igneo

lime	la calce
limestone	il calcare
marble	il marmo
obsidian	l'ossidiana *f*
to polish	lucidare
polished	lucido
pumice	la pietra pomice
quarry	la cava
quicklime	le sabbie mobili *fpl*
sandstone	l'arenaria *f*
to sculpt	scolpire
sculpture	la scultura
smooth	liscio
rock	la roccia; il sasso; la pietra
precious	**prezioso**
carat	il carato
claw (setting)	la pinza
diamond	il diamante
emerald	lo smeraldo
enamel	lo smalto
engraved	inciso
facet	la faccetta; la sfaccettatura
flaw	l'incrinatura *f*
flawless	senza incrinature; perfetto
gold	l'oro *m*
jewel	il gioiello
jeweller's shop	la gioielleria
jewellery	i gioielli
pearl	la perla
platinum	il platino

precious stone	la pietra preziosa; la gemma
to refine	raffinare
ruby	il rubino
sapphire	lo zaffiro
silver-gilt	placcato in argento
semi-precious	**semiprezioso**
agate	l'agata *f*
amber	l'ambra *f*
amythyst	l'ametista *f*
aquamarine	l'acquamarina *f*
bead(s)	la perla; la perlina
beryl	il berillo
bloodstone	l'eliotropio *m*; l'ematite *f*
cabuchon	il cabochon
cameo	il cammeo
chalcedony	il calcedonio
citrine	il citrino
faience	la ceramica, la porcellana (di Faenza); la faentina
garnet	il granato
hallmark	il marchio di garanzia; la caratteristica
intaglio	l'arte *f* dell'intaglio; l'oggetto *m* intagliato; la gemma intagliata
jade	la giada
jasper	il diaspro
jet	il getto
lapis-lazuli	il lapislazulo; i lapislazuli *pl*
mother-of-pearl	la madreperla

moonstone	la pietre di luna; la lunaria
nacre	la madreperla
paste	il diamante artificiale
peridot	l'olivina *f*; il peridoto
quartz	il quarzo
onyx	l'onice *m*
opal	l'opale *m*
opaque	opaco
rosary (beads)	il rosario
silver	l'argento *m*
tiger's eye	l'occhio *m* di tigre
tourmaline	la tormalina *f*
translucent	traslucido
transparent	trasparente
turquoise	il turchese

WEATHER	IL TEMPO
air	l'aria *f*
barometer	il barometro
breeze	la brezza
to clear up	schiarire
climate	il clima
cloud	la nuvola
to cloud over	annuvolare
cloudy	nuvoloso
cool, fresh	fresco
damp	umido
dampness	l'umidità *f*
degree	il grado
draught	la corrente d'aria

to drench	infradiciare; inzuppare
drop	la goccia
drought	la siccità
dry	secco
to dry	asciugare
fine, fair	bello
to flash (lightning)	lampeggiare
flood	l'inondazione *f*
to flood	inondare
fog	la bruma, la hebbia
foggy	brumoso, hebbioso
forked lightning	il fulmine ramificato
to freeze	gelare
frost	il gelo
frozen	gelato
glacier	il ghiacciaio
to hail	grandinare
hailstone	la grandinata
to harm	danneggiare
harmful	dannoso
heatstroke	il colpo di caldo
heatwave	l'ondata *f* di calore
hoarfrost	la brina
hurricane	l'uragano *m*
ice	il ghiaccio
iceberg	l'iceberg *m*
ice cap	la cappa di ghiaccio
ice floe	la banchiglia
icicle	il ghiacciuolo
lightning	il lampo; il fulmine; la saetta

lightning conductor	il parafulmine
mist	la foschia
misty	nebbioso
rain	la pioggia
to rain	piovere
rainbow	l'arco *m* baleno
rainy	piovoso
sheet lightning	il lampo diffuso
shower	l'acquazzone *m*
snow	la neve
to snow	nevicare
snowfall	la nevicata
snowstorm	la tempesta di neve
to soak	inzuppare
storm	la burrasca
stormy	burrascoso
sultry	afoso
sunburn	bruciato dal sole
tan	l'abbronzatura *f*
tempest	la tempesta
thaw	il disgelo
to thaw	sgelare
thermometer	il termometro
thunder	il tuono
to thunder	tuonare
thunderbolt	il fulmine; la saetta
wet	bagnato
to wet	bagnare
wind	ventoso
windy	il vento

character	il carattere
(to become) *accustomed*	abituarsi a
addicted	dedito a
affection	l'affetto *m*
affectionate	affettuoso
to affirm	asserire, affermare
(to be) afraid	avere paura di
anger	la rabbia, l'ira *f*
(to become) *angry*	arrabbiarsi, adirarsi
anxiety	l'ansia *f;* l'ansietà *f*
to astonish	stupire, meravigliare
audacious	audace
audacity	l'audacia *f*
to boast about	vantarsi di
boldness	la baldanza
calm	la calma
calm adj	calmo
characteristic, trait	la caratteristica, il tratto
charitable	caritatevole
cheerful	allegro
cheerfulness	l'allegria *f*
to comfort	confortare
to complain	lamentarsi
complaint	la lamentela
consolation	la consolazione
consoling	consolante
contempt	il disprezzo
contemptuous	sprezzante
contented	contento

courtesy	la cortesia
coward	il vigliacco; il vile *(each may be used as adj without article)*
cowardice	la vigliaccheria; la viltà
cowardly	vigliaccamente; vilmente
to dare	osare
daring	intrepido
defect	il difetto
demanding	esigente
to deny	negare
depressed	abbattuto, depresso
desire	il desiderio
to desire	desiderare
despair	la disperazione
to despair	disperare
discontent	l'insoddisfazione *f*
discontented	scontento
to discourage	scoraggiare
dishonest	disonesto
dishonour	il disonore
to dishonour	disonorare
disloyal	sleale
displeased	dispiaciuto
disposition, temper	l'indole *f*, il temperamento
doubt	il dubbio
doubtful	dubbioso
dubious	dubbio
egoist	l'egoista *m*
to encourage	incorraggiare
enemy	il nemico

enjoyment	il divertimento
envy	l'invidia *f*
esteem	la stima
to esteem	stimare
expectation	l'attesa *f*
extrovert	estroverso
faithful	fedele
faithfulness	la fedeltà
fault	il difetto; il lato negativo; la pecca; lo sbaglio
favour	il favore
favourable	favorevole
fear	la paura
fearless	impavido
frank	franco
frankness	la franchezza
friend	l'amico *m*, l'amica *f*
friendly	simpatico, amichevole
friendship	l'amicizia *f*
to frighten	spaventare
(to be) *frightened*	spaventarsi
frightful	spaventoso
generosity	la generosità
generous	generoso
good	buono
goodness	la bontà
grateful	grato
gratitude	la gratitudine
greed	l'avidità *f*; l'avarizia *f*
to grieve	addolorare; addolorarsi

habit	l'abitudine *f*
happiness	la felicità
happy	felice
to hate	odiare
hateful	odioso
hatred	l'odio *m*
hedonistic	edonistico
to hesitate	esitare, titubare
honest	onesto
honesty	l'onestà *f*
honour	l'onore *m*
to honour	onorare
honourable	onorevole
hope	la speranza
humble	umile
humility	l'umiltà *f*
hypocrisy	l'ipocrisia *f*
hypocrite	l'ipocrita *m* & *f (no article=adj)*
impiety	l'empietà *f*
impious	empio, sacrilego
impolite	scortese
in a bad mood	di cattivo umore
in a good mood	di buon umore
incapable	incapace
ingratitude	l'ingratitudine *f*
jealous	geloso
kind	gentile
loyal	leale
lust	il desiderio, la lascivia, la lussuria

mercy	la misericordia
miser	l'avaro m; il taccagno; lo spilorcio; il tirchio (each used as adj without article)
modesty	il pudore
mood	l'umore m
(to be) necessary	(essere) necessario
obstinacy	l'ostinazione f, la testardaggine
to be obstinate	ostinarsi
offence	l'offesa f
to offend	offendere
optimist	ottimista
optimistic	l'ottimismo m
pain	il dolore
painful	doloroso
pessimist	pessimista
pessimistic	il pessimismo
piety	la pietà
pity	la compassione
to please	piacere
pleasure	il piacere
polite	cortese
pride	l'orgoglio m
proud	orgoglioso
punctuality	la puntuaità
quality	la qualità
to quarrel	litigare
reckless	spericolato
to rejoice	rallegrarsi

remorse	il rimorso
renown	la fama, la notorietà
to repent	pentirsi
repentance	il pentimento
restless	inquieto
revenge	la vendetta
to revenge	vendicarsi
rude	sgarbato
rudeness	la sgarbatezza
sad	triste
sadness	la tristezza
security	la sicurezza
selfish	egoista
selfishness	l'egoismo m
sensual	sensuale
sensuality	la sensualità
sentiment	il sentimento
shame	la vergogna
shameful	vergognoso
sigh	il sospiro
sincere	sincero
sincerity	la sincerità
sober	sobrio
sobriety	la sobrietà
stingy	avaro
talent	il talento
temperamental	capriccioso
to terrify	terrorizzare, terrificare
terror	il terrore
to thank	ringraziare

thanks, thank you	grazie
timid	timido
timidity	la timidezza
unfaithful	infedele
unfaithfulness	l'infedeltà *f*
unfavourable	sfavorevole
unfortunate	sfortunato
unfriendly	antipatico
ungrateful	ingrato
unhappy	infelice
unreasonable	sragionevole
unsure	insicuro
unworthy	indegno
vain	vanitoso
vice	il vizio
vicious	vizioso; perverso; cattivo
villain	il mascalzone, il farabutto
vindictive	vendicativo
virtue	la virtù
virtuous	virtuoso
whim	il capriccio
wicked	cattivo, malvagio
wickedness	la cattiveria
worthy	degno
mind	**la mente, l'animo** *f*
accuracy	l'esattezza *f*
agreement	l'accordo *m*
to agree with	essere d'accordo con
(to be) *ashamed*	vergognarsi di
astonishment	lo stupore

capability	la capacità
capable	capace
cautious	cauto
certain	certo
certainty	la certezza
clever	bravo, capace
common sense	il buonsenso
confidence	la confidenza
conscience	la coscienza
consent	il consenso
to consent	acconsentire
to convince	convincere
custom	il costume; la consuetudine; l'abitudine *f*
to decide	decidere
to despise	disprezzare
to discuss	discutere
to displease	dispiacere a; dare un dispiacere a
(to be) *displeased with*	(essere) scontento di
excuse	la scusa
to excuse	scusare
to fail	fallire
to favour	favorire
to fear	temere
to grant	concedere
to hope	sperare
imaginative	immaginativo; fantasioso
inaccuracy	l'inesattezza *f*

to insult	insultare
intelligence	l'intelligenzia f
intelligent	intelligente
introvert	introverso
to lack	mancare
liar	il bugiardo (used as adj without article)
lie	la bugia
to lie	mentire
to meditate	meditare
mistake	l'errore m, lo sbaglio
to (make a) mistake	sbagliare
mistrustful	diffidente
moderate	moderato
to occur to, to come to mind	venire in mente
opinion	l'opinione f
to perceive	percepire
perceptive	perspicace
to protest	protestare
quarrel	il litigio
to realise	rendersi conto
reason	la ragione
to reason	ragionare
reasonable	ragionevole
recollection	il ricordo
to reconcile	riconciliare
to regret	rimpiangere
to remember	ricordarsi
to risk	rischiare

scruple	lo scrupolo
self-confidence	la sicurezza di sè
to be self-confident	essere sicuro di sè
sensible	sensato
sensitive	sensibile
sensitivity	la sensibilità
to sigh	sospirare
stupid	stupido
stupidity	la stupidità
sure	sicuro
to suspect	sospettare
suspicion	il sospetto
(to be) *suspicious*	sospettoso
(acting) *suspiciously*	sospetto
to think of	pensare
thought	il pensiero
true	vero
to trust	fidarsi (di)
trustful	fiducioso
truth	la verità
uncertain	incerto
undecided	indeciso
to understand	comprendere
understanding	la comprensione
will, determination	la volontà, la determinazione
spirit	**lo spirito**
abbess	la badessa
abbey	l'abbazia *f*
abbot	l'abate *m*

agnostic	l'agnostico m (used as adj without article)
agnosticism	l'agnosticismo m
altar	l'altare m
angel	l'angelo m
animism	l'animismo m
apostle	l'apostolo m
archbishop	l'arcivescovo m
atheism	l'ateismo m
atheist	l'ateo m (used as adj without article)
to baptise	battezzare
belief	la credenza
to believe	credere
believer	il credente
Bible	la Bibbia
bishop	il vescovo
to bless	benedire
blessed	beato
blessing	la benedizione
Buddhism	il Buddismo
Buddhist	buddista
Calvinism	il Calvinismo
Calvinist	calvinista
cardinal	il cardinale
Catholic (person)	il cattolico, la cattolica
Catholic adj	cattolico
Catholicism	il Cattolicesimo
to celebrate	celebrare
chalice	il calice

chapel	la cappella
charismatic	carismatico
Christian (person)	il cristiano, la cristiana
Christian adj	cristiano
Christianity	il Cristianesimo
church	la chiesa
the Church (institution)	la Chiesa
clergy	il clero
clergyman	il sacerdote
convent	il convento
to convert	convertire
cult	il culto
to curse	maledire
devil	il diavolo
devilish	diabolico
devout	devoto
divine	divino
evangelical	evangelico
faith	la fede
fervent	fervente
fundamental	fondamentale
fundamentalism	il fondamentalismo
fundamentalist	fondamentalista
god	il dio
God	Dio
goddess	la dea
heaven	il cielo
hell	l'inferno *m*
heresy	l'eresia *f*

heretic	l'eretico *m*
Hindu (person)	l'indù *m* & *f*
Hindu adj	indù
Hinduism	l'Induismo *m*
holy	santo
Islam	l'Islam *m*
Jewish (person)	l'ebreo *m* & *f*
Jewish adj	ebreo
Judaism	il Giudaismo; l'Ebraismo *m*
Koran	il Corano
mass	la messa
minister	il pastore
monastery	il monastero
monk	il frate
Mormon	mormone
Mormonism	la setta dei Mormoni
Muslim (person)	il (la) mussulmano
Muslim adj	mussulmano
nun	la monaca
omnipotent	onnipotente
pagan	pagano
paradise	il paradiso
parish	la parrocchia
pilgrim	il pellegrino
pilgrimage	il pellegrinaggio
pious	pio
Pope	il papa
to pray	pregare
prayer	la preghiera
to preach	predicare

preacher	il predicatore
Presbyterian (person)	il (la) presbiteriano
Presbyterian adj	presbiterian
Presbyterianism	la Chiesa Presbiteriana
presbytery	il presbiterio
priest	il prete, il sacerdote
proselyte	il proselito; il neofita
to proselytise	convertire; fare proseliti
Protestant (person)	il (la) protestante
Protestant adj	protestante
Protestantism	il Protestantesimo
purgatoru	il purgatorio
Rastafarian (person)	il (la) rastafariano
Rastafarian adj	rastafariano
religion	la religione
religious	religioso
to repent	pentirsi
repentant	pentito
sacred	sacro
safe	sicuro
saint	il santo, la santa
saviour	il salvatore
scientologist (person)	il (la) scientologo
scientologist adj	scientologo
scientology	la Scientologia, la setta degli scientologi

sect	la setta
sermon	il sermone
shaman	lo sciamano
sin	il peccato
to sin	peccare
sinner	il peccatore
solemn	solenne
soul	l'anima *f*
voodoo	il vudù
witch doctor	lo stregone
Zionism	il sionismo

for churches, see **CULTURE**, ARTS, **architecture** *p48*

to arrange flowers	**arrangiare i fiori; fare composizioni floreali**
epiphyte	l'epifita *f*
garland	la ghirlanda
moss	il muschio
creepers	**le piante rampicanti; i rampicanti**
to climb	arrampicare
creeping	rampicante
honeysuckle	il caprifoglio
hop	il luppolo
ivy	l'edera *f*
mistletoe	il vischio
tendril	il viticcio

wisteria	il glicine
flower	**il fiore**
anemone	l'anemone *m*
annual	annuale
biennial	biennale
blooming	in fiore
bud	il bocciolo
to bud	sbocciare
carnation	il garofano
crocus	il croco
daffodil	il narciso
to flower	fiorire
flowerbed	l'aiuola *f*
hyacinth	il giacinto
hybrid	l'ibrido *m (adj without article)*
lily	il giglio
lily of the valley	il mughetto
marigold	la calendula
mignonette	la reseda
orchid	l'orchidea *f*
pansy	la viola del pensiero
perennial	perenne
petal	il petalo
primrose	la primula
scent	il profumo; la fragranza
snapdragon	la bocca di leone
snowdrop	il bucaneve
sunflower	il girasole
tulip	il tulipano
to wither	appassire

withered	appassito
garden	**il giardino**
to dig	scavare
to enclose	recintare
to fertilise	fertilizzare
foliage	il fogliame
fountain	la fonte
gardener	il giardiniere
grass	l'erba *f*
hedge	la siepe
hose	la canna
irrigation	l'irrigazione *f*
landscape gardener	il disegnatore di giardini all'inglese
leaf	la foglia
leafy	coperto di foglie, frondoso
to plant	piantare
pollen	il polline
to pollinate	impollinare
pollination	l'impollinazione *f*
privet	il ligustro
radical	radicale
root	la radice
rotovator	il frangizolle a lame rotanti
sap	la linfa
to spray	spruzzare; vaporizzare
sprayer	lo spruzzatore
stalk	lo stelo
stem	il fusto
stock	la stirpe

to take root	fare radice, radicare
to thin	sfrondare
to transplant	trapiantare
to uproot	sradicare
to water	innaffiare
watering can	l'innaffiatoio *m*
herb	**l'erba** *f* **aromatica**
angelica	l'angelica *f*
balm	il balsamo
balsam	la balsamina
basil	il basilico
camomile	la camomilla
chicory	la cicoria
chives	l'erba cipollina *f*
coriander	il coriandolo
dill	l'aneto *m*
fennel (for seeds)	il finocchio
marjoram	la maggiorana
mint	la menta
mustard	la senape
oregano	l'origano *m*
parsley	il prezzemolo
rosemary	il rosmarino
sage	la salvia
tarragon	il dragoncello
thyme	il timo
house plants	**le piante da appartamento**
bonsai	il bonsai
cactus	il cactus
fern	la felce

spore	la spora
Venus flytrap	la dionea
rock plant	**le piante rupestri**
alpine (adj only)	alpino
edelweiss	la stella alpina
shrubs	**l'arbusto** *m*
azalea	l'azalea *f*
bay	l'alloro *m*
berry	la bacca
bush	il cespuglio
fuchsia	la fucsia
heather	l'erica *f*
holly	l'agrifoglio *m*
laurel	il lauro
magnolia	la magnolia
myrtle	il mirto
rhododendron	il rododendro
soft fruits	**la frutta fresca**
blackcurrant (bush)	(il cespuglio di) il ribes nero
bilberry/blueberry	il mirtillo
gooseberry	l'uva *f* spina
gooseberry bush	il cespuglio di uva spina
juicy	succoso
kiwi	il kiwi
lychee	il litchi
raspberry (cane)	(il cespuglio di) il lampone
redcurrant	il ribes rosso
redcurrant bush	(il cespuglio di) il ribes rosso
ripe	maturo
to ripen	maturare

sloe (berry)	la prugnola
sloe (bush)	il prugnolo
strawberry	la fragola
strawberry plant	la piantina della fragola
strawberry runner	lo stolone della fragola
white currant	il ribes bianco
white currant bush	(il cespuglio di) il ribes bianco
stalks	**gli steli**
rhubarb stalks	gli steli del rabarbaro
vine	**la vite**
currant	il ribes
to gather grapes	vendemmiare
grape	l'uva *f*
grape harvest	la vendemmia
press	il torchio
to press	torchiare
raisin	l'uva *f* passa
vineyard	la vigna, il vigneto
vintner	il viticultore
weed	**l'erbaccia** *f*
bramble	la mora
bramble bush	il roveto, il cespuglio de more
briar	la rosa selvatica
buttercup	il botton d'oro; il ranuncolo
clover	il trifoglio
daisy	la margherita
dandelion	il dente di leone
deadly nightshade	la belladonna
gorse	la ginestra spinosa

hemlock	la cicuta
nettle	l'ortica *f*
thistle	il cardo
to weed	sarchiare
wild garden	**il giardino selvatico**
bluebell	la campanula
broom	la ginestra
cornflower	il fiordaliso
forget-me-not	il non ti scordar di me
foxglove	la digitale
mallow	la malva
poppy	il papavero
reed	la canna
rush	il giunco
scrub	il cespuglio di macchia
undergrowth	il sottobosco
watercress	il crescione
wild, uncultivated	selvatico

TREES	GLI ALBERI *mpl*
bark	la corteccia
branch	il ramo
forest trees	gli alberi da bosco
jungle	la giungla
knot	il nodo
palm tree	la palma
tree ring	l'anello *m* del legno
trunk	il tronco
twig	il ramoscello
wood	il bosco

woody	boscoso
coniferous	**conifero**
cedar	il cedro
cone	la pigna
conifer	la conifera
evergreen adj	sempreverde
evergreens	i sempreverdi *mpl*
fir	l'abete *m*
giant redwood	la sequoia gigante
(sequoia)	
juniper	il ginepro
monkey puzzle	l'araucaria *f*
pine	il pino
deciduous	**deciduo, caduco, ceduo**
acacia	l'acacia *f*
acorn	la ghianda
alder	l'ontano *m*
ash	il frassino
aspen	il pioppo tremulo
beech	il faggio
birch	la betulla
catkin	il gattino; l'amento *m*
chestnut	la castagna
chestnut tree	il castagno
elm	l'olmo *m*
eucalyptus	l'eucalipto *m*
hazelnut	la nocciola
hazelnut tree	il nocciolo
holm oak	il leccio
lime	il tiglio

maple	l'acero *m*
oak	la quercia
poplar	il pioppo
to shed leaves	perdere le foglie
sycamore	il sicomoro
thorn	la spina
thorn tree	biancospino
thorny	spinoso
walnut	la noce
walnut tree	il noce
weeping willow	il salice piangente
yew	il tasso
fruit tree	**l'albero *m* da frutta**
almond	la mandorla
almond tree	il mandorlo
apple	la mela
apple tree	il melo
apricot	l'albicocca *f*
apricot tree	l'albicocco *m*
cherry	la ciliegia
cherry tree	il ciliegio
fruit	la frutta
to graft	innestare
graft	l'innesto *m*
lemon	il limone
lemon tree	il limone
medlar	la nespola
medlar tree	il nespolo
olive	l'oliva *f*
olive tree	l'olivo *m*

orange	l'arancia *f*
orange tree	l'arancio *m*
peach	la pesca
peach tree	il pesco
pear	la pera
pear tree	il pero
plum	la prugna
plum tree	il pruno
pomegranate	la melagrana
pomegranate tree	il melograno
prune	la prugna secca
to prune	potare
to shake	scuotere
stone	il nocciolo
to stone	snocciolare
TROPICAL	(LE PIANTE) TROPICALI
bamboo	il bambù
banana	la banana
banana tree	il banano; la palma *f* da banane
cocoa tree	il cacao
coconut	la noce di cocco
coconut palm	l'albero del cocco *m*; la palma da cocco
date	il dattero
date palm	la palma da datteri
ebony	l'ebano *m*
mahogany	il mogano
pineapple	l'ananas *m*
rosewood	il palissandro

rubber tree	l'albero *m* della gomma
sugar cane	la canna da zucchero
VEGETABLES	LA VERDURA; GLI ORTAGGI *mpl*
artichoke	il carciofo
asparagus	l'asparago *m*; gli asparagi *pl*
broad beans	le fave *fpl*
broccoli	i broccoli
Brussels sprouts	i cavolini di Bruxelles *mpl*
cabbage	il cavolo
cauliflower	il cavolfiore
celery	il sedano
chard	la bietola
courgette	lo zucchino
fennel (bulb)	il finocchio
fungus	il fungo
garlic	l'aglio *m*
green peas	i piselli freschi *mpl*
harmful	nocivo
horseradish	il rafano; il cren
husk	il guscio
to husk	sgusciare
kitchen garden	l'orto *m*
leek	il porro
lettuce	la lattuga
mushrooms	i funghi *mpl*
onion	la cipolla
to peel	sbucciare
pod	il bacello; il guscio
to pod (peas)	sgusciare (i piselli)

potato	la patata
radish	il ravanello
runner beans	i fagioli di Spagna;
	i fagioli rossi
to scrape	raschiare
shallot	la cipollina
spinach	gli spinaci *mpl*
sugar snap peas	i pisellini dolci
swede	il navone
sweet potato	la patata dolce; la patata
	americana
tuber	il tubero
turnip	la rapa
yam	l'igname *m*
fruits served as	**frutta servita come verdura**
vegetables	
pepper (capsicum)	il peperone
tomato	il pomodoro

SPORTS	**GLI SPORT** *mpl*
amateur	il dilettante
armband	il bracciale
ball	la palla
bet	la scommessa
to bet	scommettere
captain	il capitano
champion	il campione
coach (trainer)	l'allenatore *m*, l'allenatrice *f*

to coach (train)	allenare
coaching	l'allenamento *m*
competition	la competizione
contest	la gara; la competizione
fan	il tifoso, la tifosa
field (competitors)	il campo opposto
(football) field	il campo da calcio
(playing) field	il campo da gioco
finishing line	la linea del traguardo
foul	il fallo
game	il gioco
grandstand	la tribuna
lap	il giro
to lap	doppiare; superare di uno o più giri
match	la gara
odds	la quotazione, la probabilità
Olympics	le Olimpiadi *fpl*
physiotherapist	il (la) fisioterapista
professional	il (la) professionista
race	la corsa; la gara
racecourse	la pista
racecourse (dogs)	il cinodromo
to run	correre
sports medicine	la medicina dello sport
stadium	lo stadio
trophy	il trofeo
American football	**il football americano**
athletics	**l'atletica** *f*
athlete	l'atleta *m* & *f*

baton	la staffetta
blocks	il blocco di partenza
cross-country race	la gara campestre
decathlete	il (la) decatleta
decathlon	il decathlon
discus	il discobolo
hammer	il martello
high jump	il salto in alto
hurdle	l'ostacolo *m*
to hurdle	saltare un ostacolo
hurdler	l'ostacolista *m & f*
javelin	il giavellotto
long-distance race	la gara di fondo
long-distance runner	il (la) fondista
long jump	il salto in lungo
marathon	la maratona
marathon runner	il (la) maratoneta
medal	la medaglia
non-starter	il brocco
pentathlete	il (la) pentatleta
pentathlon	il pentathlon
personal best	il record personale
pole vault	il salto con l'asta
to put the shot	lanciare il peso
record	il primato
relay race	la corsa a staffetta
shotput	il lancio del peso
sprint	lo sprint

to sprint	sprintare
sprinter	il (la) velocista
stamina	la stamina
track	la corsa di fondo
(programme of) training	l'allenamento *m*
triathlete	il (la) triatleta
triathlon	il triathlon
triple jump	il salto triplice
bowls	**il giocco delle bocce**
bowling alley	il bocciodromo
bowling green	il campo di bocce
tenpin bowling	il gioco dei birilli, bowling con dieci birilli
boxing	**il pugilato, la box**
bout	l'incontro *m* di pugilato
boxer	il pugile
boxing gloves	i guantoni da box
count	contare
featherweight	il pesopiuma
flyweight	il pesomosca
gumshield	il paradenti
heavyweight	il pesomassimo
knockout	il knockout; il KO; il fuori combattimento
promoter	il promotore
ring	il ring
round	il round
second	il secondo
welterweight	il peso welter; il peso leggero

bullfight	**la corrida**
bull fighter	il torero
cushion (to sit on)	l'imbottitura *f*
matador	il matador
moment of truth	il momento della verità
picador	il picador
shade	l'ombra *f*
suit of lights	il costume de torero
sun	il sole
toreador	il toreador; il torero
climbing	**l'alpinismo** *m*
to abseil	salire; arrampicarsi; scalare
base camp	il campo base
to belay (a rope)	assicurare (una corda)
to chimney	scalare un camino
crampons	i ramponi
fell walking	la passeggiata in montagna
ice-axe	la piccozza
mountaineer	l'alpinista *m* & *f*
mountaineering	l'alpinismo *m*
orienteering	l'orientamento *m*
rock climber	lo scalatore, la scalatrice
rock climbing	la scalata su roccia
secure	sicuro
cricket	**il cricket**
to appeal	appellarsi
bail	la traversina
to bat	fare una battuta
batsman	il battitore
to bowl	lanciare

bowler	il lanciatore
to be bowled out	essere messo fuori gioco
to catch	prendere
fielder	l'esterno *m*
(to be) stumped	(essere) messo fuori gara
stumps	la porta
stylish	elegante
wicket	la porta
wicket-keeper	il difensore del wicket
cycling	**il ciclismo**
cyclist	il ciclista
mountain bicycle	la mountainbyke
stage	la tappa
timer	il cronometrista,
	il contasecondi
time trial	la corsa a cronometro
yellow jersey	la canottiera gialla
fencing	**la scherma**
agility	l'agilità *f*
balance	l'equilibrio *m*
fencer	lo schermitore, la schermitrice
foil	il fioretto
grace	la grazia
football (sport)	**il calcio**
back	il difensore; il terzino
corner	l'angolo *m*
to defend	difendere
defender	il difensore
to dribble	dribblare
five-a-side	cinque per parte

football (ball)	il pallone
footballer	il calciatore
football pools	il totocalcio
forward	l'attaccante *m*
goal (objective)	la rete; il gol
goal (scored)	il gol
goalkeeper	il portiere
goal-kick	il calcio di rinvio
goalpost	il palo della porta
goal scorer	il cannoniere
handball	il fallo di mano
to head	colpire di testa
linesman	il segnalinee
to mark	marcare; segnare
match	la partita
midfielder	il centrocampista
offside	fuori gioco
penalty	il calcio di rigore
referee	l'arbitro *m*
to score	segnare, fare un gol
to shoot	tirare
striker	l'attaccante *m & f*
substitute	il sostituto
to substitute	sostituire
team	la squadra
winger	l'ala *f*
yellow card	la carta gialla
golf	**il golf**
to address the ball	mirare alla palla
albatross	l'albatros *m*

birdie	il birdie
bogie	il bogie
bunker	il bunker
caddy	il caddy
card	il cartellino
club (organisation)	il circolo; il club
club (stick)	la mazza
clubhouse	la sede del circolo
course	la traiettoria
double bogie	il doppio bogie
driver (a club)	il driver
eagle	l'aquila *f*
fairway	il fairway
flag	la bandierina
green	il campo
green fees	la retta per il campo
hole	la buca
iron (a club)	il ferro
leader board	la tavolas di cuoio
(golf) links	il campo da golf
par	il par
putter (a club)	il putter
to swing	roteare
wedge (a club)	la mazza a cuneo
wood (a club)	il legno
gymnastics	**la ginnastica**
aerobic	aerobica
circuit training	l'allenamento *m*
gym	la palestra
gymnast	il ginnasta

horse	il cavallo
parallel bars	le parallele
somersault	la capriola
toning table	la tavola
to work out	il work out
hockey	**l'hockey** *m*
to bully off	nettere in gioco
horseriding	**l'equitazione** *f*
to draw (=pull)	tirare
dressage	il dressaggio
to drive (carriage)	dirigere
flat racing	la corsa su piano
horseman	il cavallerizzo
jockey	il fantino
point-to-point	la corsa a ostacoli
polo	il polo
racecourse	l'ippodromo *m*
showjumping	la gara a ostacoli
three-day event	l'evento *m* a tre giorni
trotting racing	la gara al trotto

see also **ANIMAL(S)**, FARM ANIMAL, **horses** *p20* and
WORK, AGRICULTURE, **stockbreeding** *p214*

lacrosse	**il lacrosse**
to cradle	allevare
motor racing	**le gare a motori**
chequered flag	la bandiera a scacchi
Formula 1	la Formula 1 (*uno*)
kart racing	il karting
motocross	il motorcross
motorbike racing	la gara delle motociclette

pit stop	la fermata di servizio nei box
rally driving	guidare il rally
roll bars	le barre *fpl* di suicurezza
safety helmet	l'elmetto *m*
scrambling	l'arrampicata *f*
sponsorship	la sponsorizzazione,
	il patrocinio
superbike	la superbike
rugby	**il rugby**
bench	la panca
fifteen	quindici
fly-half	il mediano di apertura
full back	l'arriere *m*;
	il difensore estremo *m*
hooter	la tromba
knockout	eliminare
knockout	la gara di eliminazione
competition	
(rugby) *league*	il rugby a tredici
penalty kick	il calcio di rigore
prop	il pilone
put in	mettere dentro
red card	la carta rossa
scrum	la mischia
scrum-half	il mediano di mischia
seven-a-side	sette per parte
sin bin	il sin-bin
to tackle	placcare
touch down	fare una meta
try	un tentetivo

to try	tentare
(rugby) *union*	il rugby a quindici
uprights	la porta
skating	**il pattinaggio**
figure skating	il pattinaggio artistico
ice dancing	la danza sui pattini
ice hockey	l'hockey *m* su ghiaggio
ice skating	il pattinaggio su ghiaccio
in-line skates	i pattini allineati
rollerskates	i pattini a rotelle
skate	il pattino
to skate	pattinare
skateboard	lo skateboard
tennis	**il tennis**
backhand	il rovescio
clay court	il campo rosso
forehand	di diritto
grass court	il campo verde
lawn tennis	il tennis su prato
let	il copo nullo da ripetere
lob	il pallonetto; il lob
love (score)	zero punti
net	il net; il colpo nullo
racket	la racchetta
real (royal) tennis	il tennis reale
serve	la battuta
to serve	servire, battere
two-handed	a due mani
set	il set
table tennis	il tennis da tavolo, il ping-pong

tennis player	il tennista, la tennista
volley	la volata
wrestling	**la lotta libera**
to hold	trattenere
lock	bloccare
to throw	gettare

WATER SPORTS	GLI SPORT ITTICI
angling	**la pesca con la lenza**
bait	l'esca *f*
to bait	munire di esca
carp	la carpa
to cast	gettare l'amo *m*
coarse fishing	la pesca d'acqua dolce
fish	il pesce
to fish	pescare
fishing rod	la canna da pesca
float	il galleggiante
fly	la mosella
fly fishing	la pesca con moselle artificiali
groundbait	esca per la pesca di fondo
hook	l'amo *m*
keep net	la rete da pesca
line	il filo
lure	l'esca *f*
to lure	adescare
pike	il luccio
reel	il mulinetto
sea angling	la pesca con lenza sul mare
spearfishing	pesca con l'arpione *m*

sport fishery	la pesca sportiva
rowing	**il canottaggio**
canoe	la canoa
canoeing	il canottaggio
canoeist	il canoista
cox	il timoniere
oar	il remo
paddle	la pagaia
to row	remare
rower	il rematore
stroke	il colpo di remo
sailing	**la vela**
boom	la boma
dinghy	il canotto al traino
locker	il bauletto; il cassone
mast	l'albero *m*
to navigate	veleggiare
sail	la vela
sheet	la scotta
to tack	far virare di bordo
swimming	**il nuoto**
backstroke	il nuoto sul dorso
breaststroke	il nuoto a rana
butterfly	il nuoto a farfalla
crawl	il crawl
deep-sea diving	l'immersione *f* a grande profondità
to dive	tuffarsi; immergersi
diving boards	i trampolini *mpl*
flume	la corsia

freestyle	lo stile libero
high diving	il tuffo acrobatico
lifeguard	il bagnino
springboard	il trampolino
to swim	nuotare
swimmer	il nuotatore, la nuotatrice
swimming pool	la piscina
synchronised swimming	il nuoto sincronizzato
water polo	**il polo acquatico**
water skiing	**lo sci nautico**
outboard motor	il motore fuoribordo

WINTER SPORTS	GLI SPORT INVERNALI
bobsleigh	**l'andare in bob** *m*
luge	**la gara** *f* **delle slitte**
skiing	**lo sci**
bindings	gli attacchi
cross-country skiing	lo sci di fondo
ice hockey	l'hockey *m* su ghiaccio
puck	il disco
ski	lo sci
to ski	sciare
ski boots	gli scarponi da sci
ski lift	la sciovia
ski jump	il salto con gli sci, il trampolino
ski stick	il bastone da sci, la racchetta
skier	lo sciatore, la sciatrice
slalom	lo slalom

sledge	la slitta
snowboard	il monosci
snowshoes	le racchette da neve
toboggan	il toboga, la slitta canadese

WORK   IL LAVORO

AGRICULTURE	L'AGRICOLTURA *f*
agricultural	agricolo
arable	**arabile**
baler	l'imballatrice *f*
barren	sterile
combine harvester	la mietitrebbiatrice
country estate	l'azienda *f* agricola
countryside	la campagna
courtyard	il cortile
to cultivate	coltivare
cultivation	la coltivazione
to dig	scavare
dry	arido
farm	la fattoria
farmer	l'agricoltore *m*; il fattore; il contadino
fertile	fertile
fertiliser	il fertilizzante, il concime
to fertilise (a crop)	fertilizzare, concimare
furrow	il solco
to germinate	germinare
grain	il grano

greenhouse	la serra
harrow	l'erpice *m*
harvest	la mietitura, il raccolto
to harvest	mietere
hay	il fieno
hayfork	il forcone da fiena
haystack	la fienile
hoe	la zappa
to irrigate	irrigare
labourer	il bracciante agricolo
market garden	l'orto *m*; il frutteto
meadow	il prato
to mow	falciare
nursery (for plants)	il vivaio
pile	il mucchio
to pile up	ammucchiare
plough	l'aratro *m*
to plough	arare
rake	il rastrello
to rake	rastrellare
reaper	il mietitore
reaping machine	la mietitrice
rustic	campestre, rustico
to scatter	spargere
scythe	la falce
seed	il seme
sickle	il falcetto
silage	il silaggio, l'insilamento *m*
to sow	seminare
sowing	la semina

spade	la pala
stable	la stalla
straw	la paglia
tillage	la coltivazione
tractor	il trattore
well	il pozzo
crops	**le messi**
alfalfa	l'erba *f* medica
barley	l'orzo *m*
ear (of wheat)	la spiga
grape harvest	la vendemmia
grape picker	il vendemmiatore
linseed (flax)	il seme di lino
maize	il mais, il granturco
oats	l'avena *f*
rapeseed	il seme di ravizzone
rice	il riso
sunflower	il girasole
wheat	il frumento, il grano
stockbreeding	**l'allevamento *m* del bestiame**
dairy	il caseificio
fodder, feed	il foraggio
herdsman	il bovaro; il vaccaio
to milk	mungere
milking machine	la mungitrice
shepherd	il pastore
stockbreeder	l'allevatore *m*
subsidy	il sussidio

see also **ANIMAL(S)**, FARM ANIMAL, **horses** *p20* and
SPORT, **horseriding** *p206*

asset	l'attivo *m*; la risorsa *f*
board of directors	il consiglio di amministrazione
chairman of the board	il presidente del consiglio di amministrazione
contract	il contratto
director	il direttore, la direttrice
dividend	il dividendo
liability	il passivo; il costo
to list (shares)	quotare
managing director	l'amministratore *m* delegato
shareholder	l'azionista *m*
takeover	l'assunzione *f* di direzione
commerce	**il commercio**
account	il conto
to associate	associare
branch	la filiale, la succursale
businessman	l'imprenditore *m*, l'imprenditrice *f*; l'uoumo (la donna) d'affari
to cancel	annullare
carriage	le spese di trasporto
company	la società, la compagnia
to deliver	consegnare
delivery	la consegna
demand	la domanda
deposit	il deposito
to dispatch	spedire
export	l'esportazione *f*
goods	la merce

import	l'importazione *f*
market	il mercato
offer	l'offerta *f*
to offer	offrire
order	l'ordine *m*
on credit	a credito
packaging	l'imballaggio *m*
to pack up	imballare
partner	il socio
portable	portatile
premises	il locale
to settle	regolare
subject	il soggetto
transport	il trasporto
to transport	trasportare
to undertake	intraprendere
to unpack	disimballare; spacchettare
to unwrap	scartare
to wrap	avvolgere
industry	**l'industria** *f*
ability	la capacità
blackleg	il crumiro
busy	occupato
to keep busy	occuparsi
clumsy	maldestro, impacciato
enterprise	l'impresa *f*
expert	il perito
factory	la fabbrica
foreman	il capomastro
to go on strike	scioperare

industrialist	l'industriale *m*
lazy	pigro
lock-out	la serrata
machine	la macchina
machinery	il macchinario
manufacture	la manifatura, la produzione, la fabbricazione
to manufacture	fabbricare
manufacturer	il fabbricante, il produttore
minimum wage	il salario minimo
operator	l'operatore *m*, l'operatrice *f*
picket	il picchetto
skilful	abile, destro
skill	la perizia
strike	lo sciopero
striker	lo scioperante
supervisor	il responsabile
trademark	il marchio di fabbrica
trade union	il sindacato
trade unionism	il sindacalismo
trade unionist	il sindacalisa
warehouse	il magazzino
media	**i mass media**
cameraman	il cineoperatore; il cameraman
communications	le comunicazioni
designer	il designer
director	il direttore; il (la) regista
editor	il redattore
feature writer	l'articolista *m* & *f*; l'autore *m* & *f* dell'articolo

217

film	la pellicola; il film
illustrator	l'illustratore *m*, l'illustratrice *f*
interviewer	l'intervistatore *m*
journalist	il (la) giornalista
lighting technician	il tecnico delle luci
newscaster	l'annunciatore *m*, l'annunciatrice *f*; lo (la) speaker
newspaper	il quotidiano; il giornale
photographer	il fotografo
presenter	il presentatore
to print	stampare
printer	la stampante
printing	la stampa
producer	il produttore
to publish	pubblicare
publisher	l'editore *m*, l'editrice *f*
set dresser	lo scenografo
sound mixer	il tecnico del missaggio
stage manager	il direttore di scena
wardrobe manager	il (la) costumista

see also **CULTURE**, ARTS, **cinema** *p50* and **LEARNING**, **current events** *p130*

office	**l'ufficio** *m*
accountant	il ragioniere, la ragioniera; il (la) commercialista
audiotypist	l'audiodaddilografo(a) *m*(*f*)
chief	il capo
clerk	l'impiegato *m* & *f*

to depend on	dipendere da
to employ	impiegare
employee	l'impiegato *m* & *f*
employer	il datore di lavoro
employment	l'impiego *m*
manager	il dirigente, la dirigente
secretary	la secretaria
shorthand	la stenografia
shorthand typist	lo stenodattilografo, la stenodattilografa
typing	la dattilografia
typist	il dattilografo, la dattilografa
typewriter	la macchina da scrivere
unemployed	il disoccupato, la disoccupata
unemployment	la disoccupazione

see also **HOME**, **office** / **study** *p102*

PROFESSIONS	LE PROFESSIONI *fpl*
accountant	il ragioniere, la ragioniera; il (la) commercialista *m* & *f*
attorney	il (la) consulente legale
barrister	l'avvocato *m* civilista, l'avvocato *m* penalista; *see* **THE LAW**, **civil** / **criminal law** *p125-6*
confidential	confidenziale; riservato
consultant	il consulente; il medico specialista; il primario
dentist	il (la) dentista

doctor	il dottore, la dottoressa; il medico *m inv*
ethical	etico
ethics	l'etica *f*
firm	la ditta
freelance	il libero professionista; la libera professionista
indemnity	l'indennità *f*
junior adj	junior
liability	la responsabilità; l'obbligo *m*
notary	il notaio
partner	il socio; il partner
practice	la pratica
professional	professionale
qualifications	le qualificazioni
senior adj	senior
solicitor	il (la) consulente legale
surveyor	il geometra; l'agrimensore *m*; il topografo; l'ispettore *m*, l'ispettrice *f*
PUBLIC SERVICES	I SERVIZI PUBBLICI *mpl*
alarm	l'allarme *m*
emergency	l'emergenza *f*
siren	la sirena
emergency services	**i servizi** *m* **d'emergenza**
ambulance	l'autoambulanza *f*; l'ambulanza *f*
fire engine	la macchina dei pompieri; l'autopompa *f*

fire hydrant	la pompa antincendio
fireman	il vigile del fuoco;
	il pompiere
fire station	la caserma dei pompieri
paramedic	il paramedico
police (force)	la Polizia; i Carabinieri
policeman	il poliziotto; il carabiniere
police station	la stazione di polizia;
	la stazione dei Carabinieri
police (community)	i vigili urbani *mpl*
police (town)	la Polizia Municipale
library	**la biblioteca**
bookrest	il leggío
catalogue	il catalogo
to learn	imparare
learned adj	colto
librarian	il bibliotecario,
	la bibliotecaria
to make notes	prendere appunti
to read	leggere
scholarly	dotto; erudito
to study	studiare
local authority	**l'autorità** *f* **locale**
road works	i lavori stradali
street cleaning	la nettezza urbana
street lighting	l'illuminazione *f* stradale
street sweeper	lo spazzino
telephone service	**il servizio telefonico** (la SIP)
(company)	
telegraph pole	il palo del telegrafo

telegraph wires	i fili del telegrafo
utility	**l'utilità** *f*; **il servizio pubblico**
pylon	il pilone
SHOPS	I NEGOZI *mpl*
aisle	il corridoio; il passaggio
baker	il fornaio
bakery	il panificio
barber	il barbiere
barber shop	il negozio di barbiere
boutique	la boutique; la bottega
butcher	il macellaio
butcher's	la macelleria
cash desk	la cassa
checkout	la cassa
chemist	il farmacista
chemist's	la farmacia
counter	il banco
customer service	il banco del servizio
(desk)	assistenza clienti
delicatessen	il negozio di gastronomia;
	le ghiottonerie *fpl*
department store	il grande magazzino
do-it-yourself store	l'emporio *m* del fai da te
dress shop	il negozio di abbigliamento
estate agent's	l'agente *m* & *f* immobiliare
fishmonger	il pescivendolo
fishmonger's	la pescheria
greengrocer's	il negozio di frutta e verdura
grocery	la drogheria

haberdasher	il merciaio, la merciaia
hat shop	la cappelleria
hatter / milliner	il cappellaio
hypermarket	l'ipermercato *m*;
	il supermercato
ironmonger	il commerciante di
	ferramenta
jeweller	il gioielliere
to knead	impastare
milkman	il lattaio
shoeshop	il negozio di calzature
shop assistant	il commesso
shopkeeper	il commerciante
to show	mostrare
stationer	il cartolaio
stationer's	la cartoleria
(precious) stone	l'intagliatore *m*,
cutter	l'intagliatrice *f* di preziosi
supermarket	il supermercato
tailor	il sarto
tailor's	la sartoria
tobacconist	il tabaccaio
tobacconist's	la tabaccheria
wine merchant	il vinaio
TRADES	I MESTIERI *mpl*
apprentice	l'apprendista *m*
apprenticeship	il tirocinio
bricklayer	il muratore
cabinet maker	il mobiliere

223

carpenter	il falegname
craft	l'arte *f*
craftsman	l'artigiano *m*, l'artigiana *f*
day labourer	il lavoratore a giornata; il manovale; il bracciante giornaliero
electrician	l'elettricista *m* & *f*
engineer	l'ingegnere *m*
fitter	l'installatore *m*, l'installatrice *f*
to fix	installare
fixed	installato
french polisher	la verniciaturá a specchio
glazier	il vetraio
to grind	macinare
joiner	il saldatore
mechanic	il meccanico
mill	il mulino
miller	il mugnaio
plasterer	l'imbianchino *m*, l'imbianchina *f*
plumber	l'idraulico *m*
rag and bone man	il rigattiere, la rigattiera
spinner	il filatore, la filatrice
upholsterer	il tapezziere
workman	l'operaio *m*, l'operaia *f*